KB103652

출근하기 싫다면서 습관처럼 야근하는 평범한 직장인 에세이

대충 열심히, 직장에 다닙니다.

LINE (feat.날 선)

대충 열심히, 직장에 다닙니다.

발 행 | 2024년 1월 16일
저 자 | LINE (feat. 날 선)
펴낸이 | 한건희
펴낸곳 | 주식회사 부크크
출판사등록 | 2014년 7월 15일 (제2014-16호)
주 소 | 서울특별시 금천구 가산디지털1로 119 SK트윈타워 A동 305호
전 화 | 1670-8316
이메일 | info@bookk.co.kr
ISBN | 979-11-410-6703-8
www.bookk.co.kr

프롤로그

박사원, 꿈이 뭐야?

꿈은 한량인데
현실은 직장인입니다.

이대리, 꿈이 뭐야?

인생 한방
무슨 부귀영화를 누리고 싶어요.
일확천금이 제 꿈입니다.

오늘도
꾸역꾸역 출근을 해내는,
위대하지만 본인이 위대한지 모르는,
직장인 여러분을 위해.

part 1. 출근과 오전업무 사이

part 3. 휴식과 오후업무 사이

페이지번호	13 / 290 Page
부서(팀)/명	C.5 (팀)
기안일시	2023. 11. 14

결재	담당자	부서장	본부장	사장
	라인			

part 1.

출근과 오전업무 사이

다음과 같이 기안을 올리니 승인하여 주시기 바랍니다.

팀장님과 함께하는 카풀

미세한 라디오 소리,
정말 정말 미세해서
그 소리라도 듣고 싶어서
온 신경이 라디오로 향해 있다.

무슨 말을 해야 할까?
업무 얘기를 할까?

이 어찌할 줄 모르겠는 적막한 분위기를
그 미세한 소리라도 있어야
버틸 수 있기에.

아하학~
라디오사연 너무 웃긴데
큰 소리로 웃고 싶은데
웃어도 되나?

팀장님 출근 시간에 맞추느라
새벽같이 나와서
손도 시럽고
발도 시럽고
어깨도 움츠러들고

화장실을 못 가서
뱃 속에서 가스가 꾸루룩
소리가 나면 어쩌나
걱정되고 부끄럽고
만성 변비에 시달리고.

그렇다고 팀장님보다
늦게 나올 수는 없잖아.

팀장님과 카풀을 안 한다고 해도
후임이랑 카풀을 한다고 해도
차주 분을 기다리게 하는 것은
예의가 아니니까.

굽이굽이 돌아 돌아가는 카풀

버스 정류장처럼
굽이굽이 돌아 돌아가는 카풀

정말 CAR가 FULL이다.
5명이라 그렇다.
가장 덩치가 작은 나는
뒷 자석 가운데 자리
좌회전, 우회전 할 때마다
양 옆 동승자에 쓰러질까 봐
신경 쓰인다.
불편하다.

운전자 빼고
가장 빨리 타서
가장 늦게 내리는 사람도
나다.
불편하다.

얻어 타는 주제에
말이 많지만
그래도 불편한 건 불편한 거다.

그래서
카풀비는 얼마나 드려야 하나?
4인일 때는 10만 원씩이었는데
5인이라 애매하네.

여성시대 만세 카풀

처음으로 여자 4명이서만 카풀을 한다.

왠지 편하다.

분위기가 깨발랄하다.

대화 주제도 다양하다.

뷰티, 다이어트, 연예인, 취미, 가족, 살림, 쇼핑 등

각종 노하우부터

"응~ 그랬쪄." 하는 우쭈쭈 위로타임까지.

바야흐로 카풀에 여성시대가 왔다.

"반짝이는 아침햇살 속으로

꿈을 안고 차오르는 새처럼

푸른 가슴 따사로운 숨결로

달려가는 여성시대." (MBC여성시대 시그널 중)

# 미취학 아동과 함께하는 카풀

7살 고집쟁이 예민 보스 큰 따님과
4살 엉뚱 발랄 둘째 따님과 함께하는 출근길

머리가 산발인 큰 따님
잠에서 깨지도 못해 사수님 등에 실려 나오는 둘째 따님

김 가루 잔뜩 붙어 치어진 주먹밥을
오물거리는 따님들 덕에
내 속도 울렁울렁

끝말잇기를 하자고
졸라대는 따님들 덕에
아침부터 뇌는 풀 가동 중

어린이 날, 입학식 때마다
따님들 선물은 뭘 해야 하나
캐릭터 활동복?

역시나 현금?

그래도 어째…
차 없는 주제에
낑겨 타는 것만으로도
감지덕지해야 할 입장인 걸.

카풀 인생 청산 Ⅰ

드디어 마이카~
5년 동안 카풀 라이프를 마치고
내 차 계약서에 사인을 하고

카풀을 안 하고
내 차를 타고 다니니
세상 따뜻하다.

집에서 새벽같이 나와
카풀 동료 집까지 가는
버스 기다리느라
동동거리지 않아도 되고

기껏 데워놓은 버스 좌석에서 내려
또 카풀 차 시트 데우지 않아도 되고

카풀 할 때 탔던 뒷좌석은 열선이 없었는데

운전석 쪽은 열선이 있어서
굳이 히터를 틀지 않았던 건가 보다.
따뜻한 핸들도 진짜 진짜 좋다.

두껍게 겹쳐 입었던 옷들이 짓누르는 무게에서
어깨도 이제 해방될 것 같다.

카풀 인생 청산 Ⅱ

찬란한 미래를 꿈꿨지만

마냥 좋을 줄 알았는데
주유는 어떻게 하나?
주차는 할 데가 있나?
보험료도 장난이 아닌데?
경적 소리 나한테 울리는 건가?
자동차 관리는 왜 이렇게 할 게 많나?

마이카 7년째
오지 않을 것 같았던
안정기가 찾아왔다.

출근길 카페에 들러
테이크아웃 잔에 받아
아메리카노를 입에 물고

차가운 아침 공기를 가르며
막히는 길을 피해
경로를 알아서 바꿔 운전하는,
라디오든 음악이든 들으며
출근하는 내가 제법
TV에서 보던
성공한 직장인 같다는 생각이 든다.

사실 일 년에 한 번

있을까 말까 한

차가운 도시 직장인 코스프레인데.

출근길 대란

출근길 대란의 주범은
바로 눈이었다.

6시도 안 된 새벽
집에서 버스 정류장까지
눈을 해치고 나가는 것을
보다 못한 가족들이
삽을 들고 나와
길을 만들어주었다.

제아무리 제설을 한다 해도
계속 내리는 눈에 다들
속수무책

애들은 좋다고 할지 모르겠지만
눈이 오든 태풍이 오든
출근해야 하는 직장인에게

눈은 그냥
쓰레기다.

그런 곳

뭐 딱히
힘든 일이 있어서라기보다
회사는 습관적으로 힘들고 가기 싫은
그런 곳이니까요.

일요일 저녁의 감상

정말 사는 게 고역이다.
정말이지 사는 게 거지같다. 드럽다.
그리고 구차하다.

사원증

라인: 사원증 두고 출근해서 지각할 뻔한 사람 손?
품질팀: 저요 저요!

라인: 사원증 사진 구리게 나오신 분?
생산팀: 저요 저요!
생산팀 막내: 아 그리고 비율 늘린 거 엄청 킹 받네요!!! 색감도 엄청 촌스럽!!

라인: 사원증 뒤집어 매기 스킬 시전하신 분?
자재팀: 저요 저요! 아니 이거 똑바로 매도 줄이 막 이케 이케 자기가 알아서 뒤집어져요. 애초에 바르게 맬 수가 없는 구조라구요.

라인: 전화 받으러 나갔다가 문 열어 달라고 구걸한 적 있는 분?
영업팀: 저요 저요! 정작 필요할 때는 없고, 목에 건 채로 만원 지하철로 퇴근해서 제 신상을 만천하에 공개해 버렸지 뭐예요.

라인: 사원증 무겁다고 생각해 보신 분?

경리회계팀: 저요 저요! 이거 은근 목 아파요. 거북목 가속화의 주범이라구요.

라인: 사원증 잃어버려서 재발급 받아 보신 분?

인사총무팀, 고객서비스팀, 전략기획팀, 경영지원팀, 연구개발팀, 법무팀, 마케팅팀, 디자인팀: 저요 저요! 인간이라는 존재는 참 어리석죠. 똑같은 실수를 한 두 번이 아니라 여러 번 반복하네요.

라인: 이게 뭐길래. 이걸 걸기 위해 나는 몇 년을 그렇게 울었어야 했나 싶네요.

사장님 미워요

자기 필요할 때만
가족 같은 회사를 강요하는
사장님 미워요.

진짜 가족이라면
내가 아프다는데
나와서 일하라고
하시겠어요?

이래 저래 막 아파

공부할 때는 온 몸이 막 아파.
병원 가면 아무 이상이 없는데
실체도 없이 그냥 막 아파.

취업 준비할 때도 온 몸이 막 아파.
아파서 잠도 안 와.
몸만큼 마음도 아파.

취직했는데 온 몸이 진짜 또 막 아파.
이제는 병원 가면 진짜 뭐라도 나올까
무서워서 못 가.

어쨌든 아파.
그냥 막 아파.
아무튼 아프다고.

골병든 흔한 직장인

머리 아파.
머리 무거워.
숨이 안 쉬어져.
귀도 멍멍해.
눈이 터질 것 같고.
다리도 터질 것 같아.

집에 있어야 할 곰 세 마리가
내 어깨에 매달려 있어.
어깨가 떨어져 나갈 것 같고
허리가 삐끄덕 거리고
손 발이 석고상처럼 굳어서 깨질 것 같아.

피곤하고
잠이 안 오고
또 잠이 오고
그런단 말이야.

그럼 좀 쉬지 그래?

안 돼.
회사를 다녀야 병원비를 벌지.

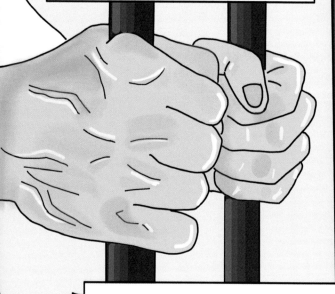

메신저 사용 설명서

사내 메신저 보낼 때
이런 극존칭이 틀린 줄 알면서도
마땅히 대체할 만한 말이 없어.

수신인을 제대로 지정하지 않으면
불상사가 생길 수도 있으니
확인 또 확인할 것.

내 일 좀 할라치면
회의하러 오라고 하고.
또 내 일 하고 있으면
몇 시까지 자료 제출해 달라하고.
내 일은 또 뒤로 밀리고.

먼저 해줘야 하는데...
그래서 때론 모른 척
자리 비움으로 상태 변환하는 스킬은

너무 뻔하려나?

별 시답잖은 메시지 보냈다가
다른 동료, 상사가 오다가다 볼 수도 있으니
조심 또 조심.
특히, 상사 없는 카톡방을 따로 팠다면
카톡방 확인은 두 번, 세 번 필수.

위는 사내 메신저, PC 카톡 모두 해당 사항 있음.

들어갈 때와 나올 때 마음이 다른 건
화장실만이 아니죠.

회사도 그래요.
들어갈 때와 나올 때 마음이 다르죠.

사원증을 목에 걸고 지나가는 직장인이 멋져 보였고
퇴근 후 맥주 한잔 하는 직장인이 또 멋져 보였고

밤늦게 야근하다 새벽별 보고 퇴근하는 것까지 부러웠고
직함으로 부르는 그 무리들이 또 부러웠고

그래서 합격 소식 들었을 때
정말 뼈를 묻을 각오를 했어요.

주류 사회로 편입되었다는 생각에 기뻤고
사람 노릇할 수 있다는 생각에 또 기뻐서
지나가는 자동차만 봐도
괜히 실실 웃음이 나왔으니까요.

지금
확실히 주류 사회에 있긴 합니다.
어제도 주(酒)님과 함께 했거든요.
그리고
카드 값이 저를 일하게 하네요.

10. 알아보고 다시 연락드리겠습니다.

9. 좀 더 고민해 봅시다.

8. 양해 부탁드립니다.

7. 바쁘신데 죄송합니다.

6. 기한 내로 부탁드립니다.

5. 감사합니다.

4. 내일 뵙겠습니다.

3. 안녕하십니까?

2. 오늘 점심 메뉴는 뭐야?

1. 넵

소화횡 말고 대확횡

회사야 어디 한번 맛 좀 보라지.

탕비실 커피믹스, 과자,
A4용지, 볼펜, 포스트잇을 비롯한 각종 사무용품,
여름엔 주말에도 회사 나와서 에어컨 바람쐬기
핸드폰·노트북·이어폰 충전까지
내가 할 수 있는 것은 다 할 거다.

내가 그동안 충성했던 거에 비하면
이것쯤은 아무것도 아니다.
죽어라 땡땡이 친 것 같아 보여도
내가 한 일을 적어 보니
나 너무 열심히 살았더라.
이거 월급에 비해 너무 내가 일을 많이 했어.

앞으로 나 일 안하고 땡땡이 칠 거다.
말로만 듣던 월급 루팡

그거 내가 할 거다.

대놓고 확실하게 횡령할거다!

분명 한글인데 왜 못 알아듣겠지?

사장님이 요구하시는 사항
부장님이 요구하시는 사항
차장님이 요구하시는 사항
과장님이 요구하시는 사항
대리님이 요구하시는 사항
모두 다 한글인데

왜 못 알아듣겠지?

나 수능 언어영역 1등급 받았는데?
나 회사 들어올 때 필기 시험도 합격했는데
분명 뒷문으로 들어온 게 아닌데?

회사생활이라는 건

잘 해도 못 해도 힘든 것,
잘 해도 못 해도 욕먹는 게
회사생활이죠.

물론
못하면
더 비참해지긴 하겠죠.
쪽팔리는 건 덤이구요.

서늘한 그곳은 바로~

벌써 4월 중순인데
아직도 나는
털 실내화를 신고 있지.

사실 발난로도 틀고 있고.

키보드 난로도 틀고 있습니다.

들어오는 순간 한기가 느껴지는 곳.
회사란 곳이 그래요.

술아일체

아침에 졸린 눈을 비비며
끙끙 앓으며 일어나더라도
내가 회사에 출근해야 하고

간도 쓸개도 빼놓고
배알이 뒤틀리더라도
내가 업무처리 해야 하고

누구도 내 삶을 대신 살아주지 않아.
그냥 어떻게든 계속해서
이 삶을 살아갈 수밖에 없어.
이 생을 이어나갈 수밖에 없어.

그래도
내가 술인지 술이 나인지,
스킨냄새에도 올라올 것 같은,
오늘 같은 날에는,

누구든지, 아무라도 좋으니
내 삶을 대신 좀 살아주세요.

1분 1초 I

뭐 전화 올 데라도 있어?
아까부터 자꾸 핸드폰 보길래.

1분 1초 II

아, 월급이요.
왜 아직도 월급이 안 들어오는 거죠?
초조해서 일이 손에 잡히지 않습니다.

월급 로그아웃

현실은 빈곤하고
마음은 더 빈곤하고

싸늘한 얼굴

하~

단전에서부터 올라온 깊은 한숨

정말 고객님들은 창의적으로 저를 괴롭히시는군요.

어벤져스란?

넘어졌을 때
벌떡 일어서기보다
잠시 한숨 돌릴 수 있는 여유를 가진

짜증은 내지만
사고 친 후임의 일을
수습해 주는 선임.
부장님의 융단폭격을
부드럽게 넘어가는
짬바.

직장인에게 어벤져스란
그런 것.

고객님들아

그만 좀 징징대
한 얘기 또 하고
그건 전화할 때마다 했던 이야기잖아.
지친다.
그런 징징댐이 주변 사람까지 같이 다운되게 만들잖아.
너의 감정은 네가 알아서 처리해.
난 네 감정 잔반 처리반이
아니야!!!!

마음의 소리

'그런 것까지 제가 알아야 합니까?'
'그건 네 사정입니다!'

" "이고 싶었던
마음의 소리

들어주기

소통, 공감, 경청 다 좋은 말인 줄은 아는데

얼마나 들어줘야 해?
어디까지 들어줘야 해?
왜 당신 말만 들어달라고 해?

당신 말 들어준 사람이 없다고 말하면
이제까지 당신 앞에 있던 나는 뭐 한 거니?
어떻게까지 들어줘야 당신 직성이 풀리겠니?

당신이 듣고 싶은 말이
내 입에서 나올 때까지?

그럴 거면 당신이 듣고 싶은 말이 뭔지
얘길 해줘요. 고객님들아!

나의 고객님께

'뭐 그런 것 가지고 그러냐?'
'나는 안 그랬던 것 같은데 너는 참 유별나구나?'
'그런 것쯤은 좀 참고 넘어가지 그러냐?'
'그만 좀 징징대.'
라는 말이 목구멍까지 차 올랐다가

나 좀 봐달라고 재촉하는 고객님을 보며

'밑 빠진 독에 물 붓듯
계속 감정을 쏟아부어주어야 하나?'
라는 회의감에 몸서리치다가

결국에는
진지한 표정으로
혹은
웃으며
"아이고~ 어쩌냐?"

"응~알았어. 방법을 찾아볼게."
라고 대답조차 해주기 싫어.

우리는 어떤 사이인가요?

일로 만난 사이입니다.
내가 어떤 일을 시켰을 때
상대방은 무조건, 마냥
기분 좋게 받아들여야 한다고 믿는
비합리적 신념의 발동

주어진 일에 대해
좋게 받아들일 수도 있지만
마뜩찮게 받아들일 수도
있는 거 아니겠어요?

어쨌든 일로 만난 사이니까
주어진 일을 해내기만 하면
되는 것 아닌가요?

직원이 일을 받아들이는 태도까지
본인이 간섭하고 통제할 수는 없다는 걸

받아들이지 못하는 상사님!
다시 한번 말하지만
일로 만난 사이입니다.
자꾸 우리라는 말로 묶지 마세요.

회의 대신 메신저

얼굴 마주하는 대신 정중한 메시지,
그건 별로 상대하고 싶지 않다는 뜻이지.

보기 싫지만 일은 해야 하니
딱 해야 할 일로만 처리하겠다는 거다.

출장 (feat. 아바타)

회사 배차 신청할 거야? 아님 대중교통?

KTX 어떠신가요?
(배차 신청하면 제가 운전해야 하잖아요. 과장님.)

숙소비는 충분치 않다. 그냥 대충 자자.

네. 과장님.
(ㅠㅠ)

자료랑 샘플 잘 챙기고.
네. 과장님.

영수증 처리 잘 하고
네 과장님. 고생하셨습니다.
(나도 고생하셨습니다.)

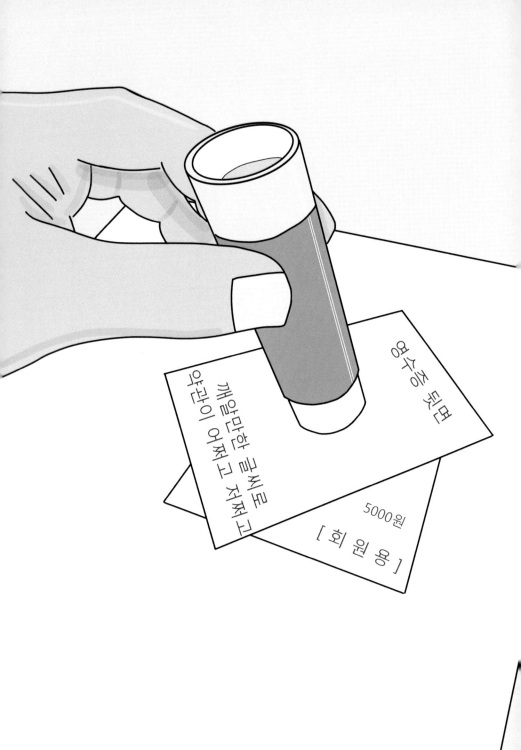

고래 등 사이에 낀 새우 대리

김 부장님이 이렇게 하라고 하시는데요?
박 차장님이 저렇게 하라고 하시는데요?

김부장과 박차장 사이에 낀 나는
새우 대리

이러지도 저러지도.

결국 내가 처음에 작성한
원안대로 돌아올 거면서
이렇게 빙 둘러 오다니.

이렇게 저렇게 뺑이 치기 전에
위에서 알아서들 교통정리해서
시키시면 안 되나요?

여기저기 굽신거리느라

저만 등이 터지네요.

연차이몽

연차 안 쓴 다고 수당으로 돌려주는 것도 아니면서
내 연차 내가 쓰겠다는데
그걸 그리 눈치 주시나요?
연차를 어디에 쓰는지
그런 것까지 말씀드려야 하나요?

별일 있을 때 사유는 묻지 않고 쓸 수 있는 것이 연차입니다.
별일 없어도 쓰고 싶으면 쓸 수 있는 것도 연차입니다.

본인은 건강검진 받을 때 연차 쓰시면서
제가 건강검진 받겠다고 연차 쓰면
주말에 안 받고 뭐 했냐고 되묻는
그런 말씀을 하시다니.
참 갑질 신고가 두렵지도 않으신가 봅니다.

사장님의 금쪽같은 몸뚱아리와 달리
회사의 허드렛일 다 하는 일개 직원 따위라

제 몸뚱아리는 감자칩처럼 부서질 것 같네요.

바스락!

부서 이동 때마다
만족스러운 대우를
받을 수 없다.

그 부서 내에서
3~4년차 쯤 구르면
내가 원하는 포지션을
얻을 수 있다.

누구처럼 이동하자마자
좋은 대우를 받을 만큼의
검증된 능력 혹은 사회적 입지가
내겐 없다.

'왜 나는?
고작 이 정도밖에
안 되는 거야?'

보다는

'그럴 만큼
뜨겁게 살지는
않았나 보다.' 가 낫겠지.

나도 그들처럼
'1년을 10년처럼 농도가 짙은,
밀도가 높은 삶을 살자.' 다짐했다가

아이고 됐다. 치아라 마!

고민과 다짐을 꺼내지 말고
슬렁 슬렁
레저나 즐기면서 그렇게 살자 싶다.

잘난 사람 잘난 대로 살고
못난 사람 못난 대로 살고
나는 나대로 살고.

연봉협상 I

피가 튀기지 않지만 피 튀기는 혈전
보이지 않지만 보이는 신경전
독은 없지만 독을 품은 입술
정중하지만 정중하지 않은 미간

나의 가치를 끌어올려야 한다.
너의 가치를 깎아내려야 한다.
한 치의 물러섬 없는 팽팽한 줄다리기

주제파악 Ⅱ (feat. 연봉협상)

너 정도의 연봉에
너 만큼의 능력보유자는
수두룩해.

이 자리에
굳이 꼭
너를 고집할 이유가
없단 소리지.

연봉협상 II

회사는 자존감 도둑
연봉협상 할 때마다
여지없이 K.O.패

내 노동력을 팔았지
자존감까지는 팔지 않았다.
얼마 되지도 않는 푼돈으로
내 자존감까지 산 것 마냥 굴지 말아라.
내 자존감까지 살 거라면 연봉이라도 올려 줘라.

훔쳐간 내 자존감 도로 내놔라.
너덜너덜해진 내 자존감 새빠빠로 물어내라.

인사발령 (feat. 거기는 어딘가요?)

어차피 견뎌야 하는 시간
우울하게 3년보다
해피하게 3년이 더 좋지 않겠어?

연말정산

이거 뭐래는 거냐?
해마다 하는 연말정산인데
뭘 어떻게 해야 할지 모르겠다.

공제율이며 각종 세금 혜택이며
챙긴다고 챙겼는데

이건 이래서 안 되고
저건 저래서 안 되고

어떻게 다들
내 주머니에서
돈 빼 갈 생각만 하니?

싸..싸...싸우자!!!

What's in my drawer?

볼펜, 클립, 가위, 칼, 자, 풀, 네임펜, 연필, 지우개, 스테이플러, 형광펜, 포스트잇, 플래그잇, 집게,

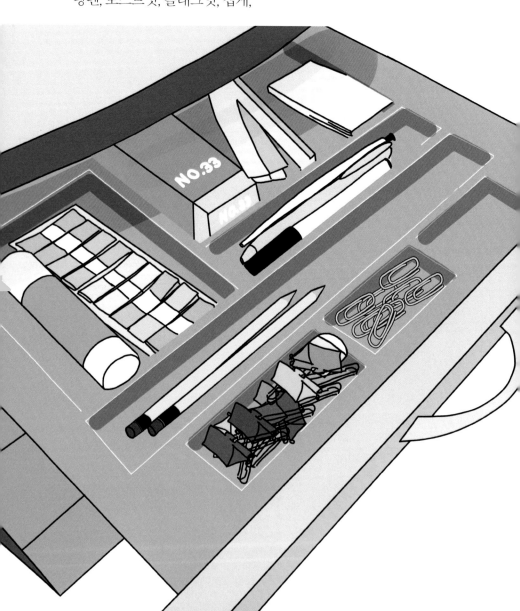

그리고

간식

Break time

부자가 꿈인 직장인들의 인터뷰 part 1.
(ver. 5년차 미만)

라인: 김대리는 꿈이 뭐예요?
김대리: 부자요!!!

라인: 김대리는 왜 부자가 되고 싶어요?
김대리: 자유롭고 싶어서. 하고 싶은 걸 고민하지 않고 마음껏 하고 싶어요.

라인: 예를 들면?
김대리: 전 수영이 좋아요. 그런데 감염병이라든지 전국체전 준비 기간이라든지의 이유로 수영장 문을 닫아 계속 못 가고 있죠. 수영장에서도 나보다 앞에 빠른 사람이 있으면 내가 걸리적거릴까 봐 눈치 보게 되고 나보다 느린 사람이 있으면 추월하다 좀 스치기라도 할라 치면 되려 나보고 "수영 쉬었다 하세요, 미안하단 말 한마디는 해야 하는 것 아니냐?" 이렇게 진상 부리는 사람 때문에 정말 짜증 나거든요. 이럴 때 내가 부자라서 집에 수영장이 있으면 상관없이 계속 수영할 수 있을 텐데. 그래서 전 수영장이 있는 부자가 되고 싶어요.

라인: 이대리는 부자가 되면 뭐가 하고 싶어요?

이대리: 전 여행이요. 세계 곳곳을 가보고 싶어요. 많이 돌아 다니려면 돈이 필요하거든요. 왜냐면 나는 세계의 맛있는 음식을 잔뜩 먹어보고 싶어요. 세계의 여러 곳에서 살고 싶고 사진도 찍고 싶어요. 세계 여러 나라의 문화를 직접 느끼고 싶어요. 세계의 곳곳에서 친구들을 만나고 싶고, 새로 만난 친구들과 음식을 나눠 먹으며 새로운 것을 체험하며 재미있게 시간을 보내고 싶어요. 또 세계 곳곳을 돌아다니려면 비행기도 많이 타야 하거든요. 물론 부자는 아니어도 이렇게 여행할 순 있겠지만 예산에 쪼들리지 않고 마음껏 편하게 여행하려구요.

라인: 그리고 또 있어요? 박대리?

박대리: 전 배우고 싶은 게 많습니다. 스케이트, 스키, 다이빙, 제트스키 같은 운동, 그림 그리기, 사진 찍기, 빵 만들기, 요리하기, 피아노, 기타 연주 같은 취미생활까지. 온통 배우고 싶은 것 투성이죠. 저 혼자 인터넷으로 검색해서 배우는 데는 한계가 느껴진달까요? 저도 선생님들한테 레슨 받고 싶습니다. 이런 것들을 배우는 데 여러 가지 재료, 준비물, 장비가 필요하구요. 그래서 전 레슨비, 재료비 고민하지 않고 마음껏 배울 수 있는 부자가 되고 싶습니다.

라인: 그런데 왜 배우고 싶어요?

박대리: 좋아하니까 잘하고 싶어지네요. 잘하지 못하더라도 좋아

하니까 열심히 하고 싶어집니다. 전 세계 70억 명 중에 1등이 되려고 연습하는 건 아닙니다. 그저 열심히 노력하는 나에게 뿌듯해하고 있으니까요, 기특해하고 있으니까요. 그걸로 충분합니다.

라인: 또? 또? 뭘 하고 싶어요? 최대리?
최대리: 전 사고 싶은 게 많아요. 먹고 싶은 데 너무 비싸다며 내려놓는 딸기, 배달비 신경 쓰지 않고 먹고 싶으면 시킬 수 있는 여유, 입고 싶은데 너무 비싸다며 얼른 옷걸이에 다시 걸어 놓는 옷, 불편한데도 꾸역꾸역 참고 신은 발목 늘어난 양말을 대신할 새 양말. 내가 좋아하는 한정판 캐릭터 인형과 피규어. 15년 넘게 써서 고장 난 세탁기 뚜껑을 대신할 성능 좋은 요즘 세탁기. 생일이나 기념일 그런 것과 상관없이 문득문득 예쁜 꽃 한 다발. 그런 것들을 사고 싶네요.
가성비 신경 쓰지 않고 그냥 예쁘면 사고, 배송비 신경 쓰지 않고 그냥 필요하면 사고, 이곳저곳 가격비교사이트 들어가서 눈 빠지도록 검색하지 않고 바로 마음에 드는 것 사고 싶어요. 가격이 기준이 아니라, 심미성과 나의 취향이 물건 구입의 기준이 되었으면 하네요.

라인: 정대리는요?
정대리: 전 구독 하고 싶은 게 많아요. 다음 주 웹툰 미리 보기도 결제하고 싶고, 뇌플릭스도 보고 싶고, 디즈니마이너스도 보고 싶고. 웃챠도 보고 싶어요. 플라임애니팩도 보고 싶고. 새로 개

봉한 영화도 보고 싶고. 음악듣기 사이트에도 가입해서 무제한 으로 음악도 듣고 싶어요. 나의 관심을 끄는 각종 유료 콘텐츠도 궁금해요. 이렇게 정기적으로 많이 구독하려면 돈이 꽤 많이 필요하죠.

라인: 흠? 그렇군요? 하대리는 어떤가요?

하대리: 저도 앞서 말씀한 대리님들 소원 다~~~하고 어려운 사람들을 돕고 싶어요. 집안 형편이 어려워 굶는 사람들, 다 떨어진 옷을 입고 다니는 사람들, 욕실이 빈약해 잘 씻지 못하는 사람들을 돕고 싶어요. 돈 때문에 기본적인 생활을 영위하는데 어려움을 겪어 고통 받는 사람들을 돕고 싶어요. 그래서 돈 때문에 자기 자신을 포기하지 않았으면 좋겠습니다. 그리고 나중에 그 사람들도 다른 사람을 도울 수 있을 만큼 잘 살게 되었으면 좋겠어요.

라인: 장인턴, 하대리 말처럼 어려운 사람들을 돕는 게 굳이 필요할까요?

장인턴: 제 생각에는 두루두루 잘 사는 사람들이 많아지면 사회가 안정적이고, 평화로워지지 않을까 싶어요. 그러면 결국 우리 모두가 덜 날카롭고, 덜 예민하고 부드러워지지 않을까요? 그런 사회가 살기 좋은 세상이잖아요. 살기 좋은 세상이 된다는 건 다른 사람들 뿐만 아니라 내가 살기 좋은 세상이 되는 거니까. 남을 돕는다는 것도 결국에 내가 살기 좋으려고 돕는 거라고 생각해요. 이상 저의 짧은 소견이었습니다.

part 2.

점심과 회의 사이

다음과 같이 기안을 올리니 승인하여 주시기 바랍니다.

붙임

가장 설레는 시간
점심메뉴 확인하기

구내식당의 영양사님, 조리사님에 따라
맛의 퀄리티는 극과 극으로 갈린다.

다행이 새로운 회사의 구내식당은
아주 만족스럽다.

사시사철 계절의 변화를
구내식당에서 느낀다.

연어스테이크, 토마토 카프레제,
돈까스 덮밥, 붕어빵, 떡만둣국, 동지팥죽,
새발나물, 봄동, 고등어 무조림, 죽순, 삼계탕 등등
심지어 김치마저도 맛있다.

회사 오는 낙이 있다.
회사 다니는 보람이 있다.

이제 보니
회사에 일하러 오는 게 아니라
밥 먹으러 오는 거였어.

회사 체육대회에서 우리 팀이 준우승 했다며?
아~ 그래?

어? 너 체육대회 간 거 아니었어?
일 있어서 중간에 나왔어.

나는 어제 A씨한테 전해 들었어.
아~

부전승을 뽑아서 준우승까지 갔다더라.
그래?

6시 넘어서 결승했대.
어.

회식가서 팀장님이 쐈다더라.
그랬구나.

너 혼자 저녁 늦게까지 어떻게 있었나
걱정 많이 했는데 중간에 갔다니 다행이네.

응.

핫도그맛 텁텁함

나는 개고생하고 너를 1년간 거뒀지만
너를 앞으로 맡을 사수는 어떡하면 좋지?
네 잘못은 1도 없는 듯 난리 난리를 피우고
이렇게 너와 힘겨루기 하는 것도
이번이 마지막이겠지?

아무 말도 들리지 않고
꼭지까지 핑 돌아버린 너에게
말 섞는 시간조차 아깝다는 생각이 들 때

이렇게 생각해 보자.
'내 인내심 수양에 도움을 주시는군요!'
'또라이 질량 보존의 법칙에 따라 네가 또라인 걸 보니
적어도 나는 또라이가 아니군요.'

그래도 양치할 시간은 좀 주지 그랬니?
점심으로 때운 핫도그 뒷맛이

텁텁하다. 참.

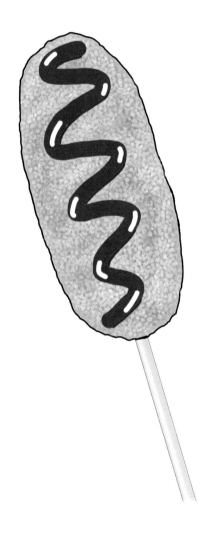

나의 행복이
얼굴도 모르는 당신에겐 불행일 수밖에 없어서
참 마음이 번잡합니다.

그래도 나는 이기적인 인간이라
일단 좋습니다.

그리고
또 이런 사원이 들어올까
겁도 납니다.

미래의 사원은
내 결정권 밖이기에
우선은
또라이 사원의 이직에
마음껏 기뻐하렵니다.

"자기야, 이거 먹을래? 저번에 이거 먹으려다 2+1행사 상품 먹
으려고 이거 못 먹었잖아."
친한 선배님께서 서랍에서 짐을 꺼내다
보인 컵밥 하나

"애들 학원 픽업하면서 저녁 대용으로 먹이려고 저번 주에 마트
가서 한 박스 샀거든."
"아닙니다. 괜찮습니다."

"왜? 먹어~ 많은데?"

순간 뜨끔
지나치게 예의바름.
어른께는 사양하는 것이 미덕이라고 배워 온 행동양식.
습관적인 괜찮습니다.
혹은 받은 만큼 갚아야 한다는 생각들.

그 짧은 순간에 생각해 낸 기가 막힌 변명 하나
"좋아하는 거라도 자주 먹으면 질릴까 봐요. 오래오래 먹고 싶어서요."

아~ 나에게도 이런 순발력이 있었다니.
능력치 하나 또 계발!!!

오늘같이
비가 추적추적 오는 날에는
뜨끈한 쌀국수가
점심 메뉴로 제격이지.

날씨 핑계로
어제 늦게까지 달려 해장하려는
부장님의 마음
모르는 척 해 드립니다.

과정이 중요하다면서 결국에 성과를 원하는,
민주적인 회의로 결정하자면서 결국에 자기 뜻대로,

결국에
결국에
결국에는
당신도 어쩔 수 없는 사장님이시군요.

99명에게 이야기하고
내 뜻을 알리고
설득해도

단 1명을 설득하지 못해
다시 원점으로 돌아가는 것

그 1명이 바로
사장님.

그럴 거면 뭐 하러
회의 따윌 하는지

아... 생산성 떨어져.

100

결재서류

LINE

Line

T. 02-1234-5678
M. 010-1234-5678

조율

1:多가 아니라
1:1로 얼굴 보고 설득하는 것
조율은 결국에 발품팔이네.
조율은 알고 보니 노가다였어.

워크숍 내가 직접 추진하지 않아도 업무입니다.
하물며 내가 추진한다면
회사는 올해 저에게 상여금 S를 주셔야 합니다.

1. 일시 확정
2. 장소: 장소 물색, 사용 견적, 리조트 확정 (숙소, 운동장, 식당,
부대 시설 등), 계약, 이동 경로 설정
3. 인원: 참석 인원 파악, 단체복 사이즈, 차량 계약 (차량 운행)
4. 주제발표: 발표 주제 제안, 주제 확정 및 진행 방법 확정, 주제
발표 준비 공지, 주제 발표 자료 취합, 발표 준비
5. 레크레이션: 업체 견적, 업체 확정, 프로그램 구성 (종목, 시간)

온갖 민원 폭발 대환장 잔치
워크숍 시작도 전에 부아가 치밀어 술을 진탕 마셨다고요.
뭘 그걸 업체씩이나 불러?
이 많은 사람 가운데서 그거 진행할 사람이 없어?

윗분들이야 그저 몸만 가면 되겠지만
이렇게나 복잡한 게 워크숍이랍니다.
그러니 올해 상여금 S가 아니라면
반드시 이의 제기 할 겁니다.

아니나 다를까
점심시간에 한 선배님이 쓱 다가오더니
겸직 뭐하느냐고 묻는다.
그냥 뭐 얼버무려도 집요하게
"수마트스토어? 너튜브? 블로구?"
계속 캐묻는다.

아니요.
겸직이라고 할 만큼 대단한 게 아니어서요.
취미로 하기에 눈곱만큼씩 수입이 생겨서
나중에 문제 생길까 신청해 놓은 겁니다.

어쨌든 개인 사생활인 거잖아요?
제 의지와 상관없이 그걸 그렇게
공개적인 자리에서
불쑥 말씀하셔서
불쾌하네요.

"팀장님이 나쁜 뜻으로 말한 건 아닌 거 같아.
그냥 라인씨처럼 하는 방법도 있다고
좋은 뜻으로 말한 거 같아."

그래도 전 기습 당한 기분이었어요.
그리고 실제로 이렇게 안줏거리처럼
물어보시잖아요.

라고 왜 당차게 이야기 하지 못했을까?

그래도
"알았어. 모른 척 할게." 라고 한발 물러나 준 게
소기의 성과라면 성과일까?

당황스러웠다.
괜히 내가 아무도 없는 틈을 타
겸직허가 결재 받으러 갔겠냐고요?
괜히 내가 비공개 문서로 결재 올렸겠냐고요?
그걸 그렇게 직원들 앞에서
사전에 나에게 어떠한 동의도 구하지 않고
"라인씨처럼 겸직 신청해." 라고 발설하다니

어른으로서 진중함이 없는 건지

꼰대라 내가 겸직하는 게 아니 꼬았던 건지
사이코패스라 공감 능력이 없는 건지

아, 결재권자라
직원의 가난과 성장 같이 보잘 것 없는 것들에
관심이 없는 거였구나.

차 대리, 지금 선택할 필요는 없으니
잠깐만 미뤄요. 그 결정.

지금의 상황을 벗어날 수만 있다면 하는 마음으로
얼토당토 않는 바보 같은 선택하지 말고.

면피용 선택의 끝은
또 다른 불행을 부를 수 있다는 거 명심하고.

지쳤을 때는 선택을 미루는 것도 방법입니다.

어떻게 다 만족시킬 수 있겠니?
이걸 가졌으면
저걸 잃었겠지.

저걸 얻었으면
그걸 잃었겠지.

때론
이것도, 저것도, 그것도
거의 모든 걸 다 잃을 때도 있는 것이고.

아니 지금까지 대부분
모든 걸 다 잃고
겨우 숨 쉴 구멍 하나 뚫린 게
보통의 당연하고 평범한 삶이지.

이것도, 저것도, 그것도 다 얻고

행복하리라는 생각이야 말로
허황된 기대,
거대한 착각,
위대한 오만 아니겠어?

평범한 이 시대의 사람들은
99를 내주고
1을 얻으며 산단다.

그러니
이제 그만 회의 좀 끝냅시다.

그리라고 있는 자리

외부에서 민원이 들어왔을 때
사장이라는 사람이
"무조건 잘못했습니다." 빌면 안 되지.

앞뒤 안 가리고
"무조건 여기 사장 불러와." 라는 식의 민원
그럴 때 담당자와 이야기하게 해야지.
사장이 그 모든 걸 어떻게 다 알겠어?
물론 사장이 담당자 옆에서 같이 있으면서
직원에게 힘을 실어줘야지.

절차대로 진행했고
자기 운이 나빠서 떨어진 건데
그걸 왜 우리한테 화살을 돌리냐고.

결국 절차의 문제라기보다
"탈락한 게 왜 하필 나여야 하는 건지

감정적으로 납득하지 못 하겠다.
우는 나를 좀 달래봐." 라는 것인데

'야, 내가 니 감정 쓰레기통이냐?
나도 내 부모한테 세상 가장 귀한 자식이다.'

무조건 민원인에 맞춰주니까
자기가 뭐라도 된 줄 알고
말도 안 되는 요구를 하잖아요.

사장님
사장이라고 폼 잡는 자리가 아니라
민원인에게 무조건 빌라고 있는 자리가 아니라
왜 민원인 하나 제대로 처리 못하냐고
우리를 꾸짖는 자리가 아니라

민원인으로부터 내 사람 지키라고
그러라고 있는 자리입니다.

사장님: 최선은 당연하고 최고의 성과를 내야 해.
직원: 난 월급 이상으로 최선을 다 했다고요!!!
최선이 최고의 결과를 보장해 주지 않는다는 걸 왜 몰라요?

나와 상대방 사이에
많은 오해를 불러 일으키는
최선이라는 단어.

'최선'이란 단어의 정의부터 필요합니다.

"요즘 직원들은 패기가 없어,
열정이 없어,
책임 의식이 없어,
이런 직원들에게 주는 월급이 아깝다."

그러는 나는 사장님 밑에서 일하고 싶겠습니까?
피차일반이니
적당한 선에서

서로
어지간히
하시죠.

초짜의 열정

초짜의 열정은
주변 사람을 피곤하게 하는 법이지.

사장님 너무 초짜
티내지 말라고요.

'악, 사장님 설교는 그만~'

"야, 너 몰랐어?
설교하고 싶어서 사장 된 거잖아. ㅋㅋㅋ"

왜 사장님들은 하나같이
꼴랑 100원 집어 넣고
4000원짜리 아메리카노가 나오길 바라지?

세상에 공짜는 없다고
월급 받은 만큼 열심히 하라면서
월급 받은 만큼만 하면
왜 그만큼 밖에 일 안하냐고 뭐라고 하지?

그거 마른 빨래에 물기 짜내는 거 아니야?
그거 도둑놈 심보 아니야?
그거 일 셔틀 아니야?
그거 갑질 아니야?

사장님 요즘에는 자판기 커피도 100원짜리는 없습니다.

그 사람이 곧 시스템

그 사람이 곧 시스템이면 위험하지 않아?
사람이 끝없이 성장할 수 있는 것도 아니고
사람의 기분에 따라 시스템이 흔들릴 수도 있고
사람은 변수가 많은 존재이니까.

사람이 불완전하기 때문에 시스템을 만드는 게 맞지 않을까?

사장님
너 들으라고 하는 소리입니다.

누구든지에게 이야기하고 싶은 날, 그런 기분
어제 큰 프로젝트가 끝났다.
사장님이 출장 가셨다.
회사에 출장 간 사람들이 많다.

뭔가 자유로워진 기분

기분이 팔랑 날아갈 것만 같다.
할 일은 많지만 부담이 덜 하다.

그래서 이럴 때 일수록 몸 사려야 한다는
직장인의 동물적 감각

한 없이 가볍고 또 가벼워서
경쾌하다 못해 경솔해 보일 수도 있는
나 스스로에게 던지는
경고의 메시지.

촉을 곤두세우는 척이라도 해야 해.

허리디스크로 입원한 이과장은
2주 진단을 받고도
눈치가 보여 1주일 밖에 연차를 쓰지 못했다.

그 1주일도 계속 회사의 업무 연락을 받으며
눕지도
앉지도 못하고

산지사방으로
민원전화를 처리하며
신사업 계획서를 작성하며
며칠 뒤 있을
회의 자료는 언제 완성되느냐는
김차장의 전화를 받고
죄인처럼 절절매고 있다.

성실하다라고 하기엔

너무 완벽을 추구하고

완벽주의라고 하기엔
너무나 몰인정하고

몰인정이라고 하기엔
너무나도 부품조각 같은 조직의 본성

조직은 개인의 아픔에 아랑곳하지 않는다.
조직이란 핑계로
개인의 아픔을 묵살하는 것을
당연하게 여기는
메마른 관리자가 남아있다.

모질고 각박한
인간의 본성도 남겨졌다.

내가 맡은 업무에 대한 지적질을
나에 대한 지적질이라고 착각했던 것이었을까?
내가 맡은 업무는 오해의 소지 같은 건 1도 없어야 한다는
완벽주의를 가장한 강박 때문이었을까?

나와 별 상관없거나 굳이 내 의견이 필요하지 않았을 때
지목까지 해서 의견을 쥐어짜던 강요와 협박을 저지를 때는
언제고

정작 가장 내 의견을 들어야 하는 내 업무에서
나는 배제된 채
모든 걸 다 안다는 듯 한마디씩 해대는 작태에
꼬라지가 났던 것일까?

업무의 기본 컨셉에 대해 여러 번 말했지만
아직도 이해하지 못하고 똑같은 질문만 해대는
저 사람들의 멍청함에 답답했던 것이었을까?

업무에 대해 부탁을 했을 때 제대로 이행하지 않고서는
지금에 와서야 말을 보태는 그들의, 그동안의 무관심에
서운했던 것이었을까?
회의를 가장한 물어뜯기에 환멸을 느껴
몸서리쳤던 것이었을까?

아...
인간이란 속성이 그렇지.
꼴랑 한 번 해보고 이미 명인의 반열에 오른 척을 해야
속이 시원해지는 종특이지.
그렇게 당하고도 인간에 대한 기대를 아직도 품고 있었던
내가 어리석었지.
내가 정답이라고 믿는 그 건방을
아직도 버리지 못한 내가 바보였지.

내가 토해냈던 것이

의미 있는
말이었는지

역한 냄새 풍기는
배설물이었는지.

참 안는다.
사회생활이

그랬으면 안 되었다.
그렇게 행동하고 말하면 안 된다는 걸 알았는데
왜 그 상황에선 또 발끈해서 오버해 버렸을까?

참 어렵다. 인간관계, 말, 행동, 표정, 그 모든 게 다.

흩어져.

머릿속에 어떤 말을 해야 할지
빙빙 돌아다니기만 하다
밖으로 꺼낼 때면
흩어져버려.

나만 그런가요?

다들 잘났다고 서로 우기는 꼴이란.

커피 섭렵

막심 노랑이,
빨간 카뉴,
막심 하양이가 주로 많이 있죠.
탕비실에는.

제 서랍 속에는
어디야 토피넛 라떼 비니스트,
훌랄라 바닐라 딜라이트 라떼가 있습니다.
얘네들은 엄청 사악한 가격이지만
맛도 사악해서
그으냥 한 모금 마시자마자
나도 모르게 절로 웃음이 나는 당도이지요.

탕비실 커피가 물리면
나만 몰래 먹는
비싼 커피 골라 먹는 재미라도 있어야지요.

그런데 그거 아시나요?

남이 사 준 커피가 제일 맛있어요. ㅋㅋㅋㅋㅋㅋ

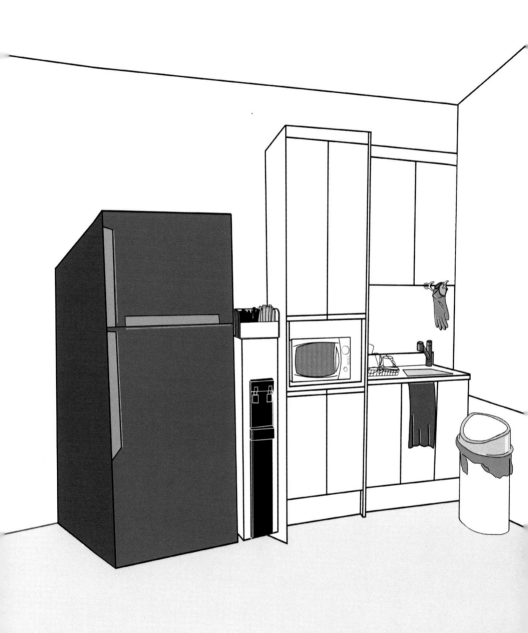

네가 좋다고 해서
남들도 다 좋아할 줄 아냐?

빌런

이렇게 네 일을 다른 사람에게 얼렁뚱땅 넘기는 당신은
빌런이다.
네 일을 다른 사람에게 넘기는 것도 재주다.
그 재주 참 타고났다.
하긴, 괜히 빌런이겠냐만은.

어서 말을 해.

갓난아기 때야 말을 못 하니까
왜 우는지 알 수가 없지.

그런데 내 앞의 신입은 도대체
왜 그렇게 서럽게 우는지.

차라리 나도 당신처럼
사수 앞에서
그렇게 울어나 볼 걸.

응.

나한테는.

너는 아닐지 모르지만.

네가 기준인 것처럼 굴지 말아줄래?

착각 Ⅱ

당연히 너도 좋아할 것이다
다른 사람을 배려하고 있다
너를 위해 내가 이렇게까지 수고하고 있다
타인에게 나의 방식을 강요하고 있지 않다
내가 하는 일에 모든 사람이 만족할 수 없다는 것을 안다

이 모든 것이 다 나의 착각

결국 나 혼자
북치고 장구 치고
나대고 다니는 줄도 모르고.

자신을 둘러싼 상황과 그 판단에 확신이 있어서
모든 게 정확하고 칼 같아서
매사에 단정적으로 말하는 유대리.

그래서 내가 유대리에게 느끼는 감정이
불편함일까? 부러움일까?

그것조차 잘 모르겠다.
오늘도 나는 먼지처럼
부유하는 걸.
형광등 불빛처럼
흔들리는 걸.

잔다르크인 양
나대지 마!

나는 또 쓰레기가
되었네요.

아무에게도 묻지도 말하지도 않고
단 한 번에
독단적으로 결정한

어디에도 없었던
쓰레기가 되었네요.

나를 그렇게 쓰레기로 만들어놓고
당신은 두 발 뻗고 편하게 주무시지 말아요.

밤새 내내 악몽에 시달리길.
부디.
제발.

삐딱 선

삐딱 선을 탔다는 건 방향의 문제
삐딱 선이라고 해서 곧지 않다는 게 아니다.
오히려 올곧게 다른 방향을 가리키고 있을 뿐이다.
너무 올곧게 자기 방향만 보고 있어
다른 사람들이 보는 다양한 방향을
수용하려는 태도가 부족하다는 것이
문제일 거다.

사회에서 기대하는 게 점점 많아지는데
나는 그 기대치에 하나도 닿지 못한 것 같아.

후배들이 꼰대라고 할까 봐
해야 할 말도 잘 못하겠고
(사실 이게 해야 할 말인지도 판단이 서질 않고)

선배들의 "라떼는 말이야"로 포문을 여는
갑질에도 가만히 숨 죽이고 있지.

그만큼 오래 회사를 다녔으면
인내심이라도 늘었을 줄 알았는데
하다못해 눈치라도 좀 늘었으면 좋겠는데
지랄 같은 성격에 '욱'이 올라와서
못 해 먹겠다.

우두커니

여전히 어려워.
나이가 먹어도
나잇값 어떻게 해야 할지 모르겠고.
윗분들 어떻게 모셔야 할지 모르겠고.
그분들 심기 거스르지 않고
내 목소리 어떻게 내야 할지 모르겠고.
내가 할 수 있는 건
그냥 가만히 있는 것.
우두커니 있는 것.

착한 사람인 척
방방곡곡 도와주다
人情(인정)의 노예가 되다.

능력 있는 사람인 척
이것저것 하다
또 다른
認定(인정)의 노예가 되다.

* 人情(인정) : 따뜻한 마음, 예) 인정 많은 사람이다.
* 認定(인정) : 확실히 그렇다고 여김,
　　　　　　　예) 능력 있는 사람으로 인정 받았다.

왜 그렇게
인정받으려고 애써?

그렇게까지 해서 얻는 게 뭔데?

자기가 무엇이나 된 것처럼
우쭐거리는 모습이라니
너무 우스꽝스럽지 않아?

그래봤자
자기가 이용당하는 줄도 모르고
안 그래?

나는 이미 내려놔서 그런지
그렇게 애쓰며 사는 사람들
이해가 안 돼.

.
.
.
.
.

글쎄...
그 사람들 뭔가 결핍이 있으니까
그걸 채우려고 그렇게 애쓰며 사는 거 아닌가?

동기들보다
늦게 취직했다거나
돈이 없다거나
든든한 빽이 없다거나 하는
흔하고 뻔해 식상한 이유들.

결핍일 수도 있고
콤플렉스일 수도 있고
열등감일 수도 있고.

내가 가진 필터는 이것 하나뿐이라
다른 이유는 못 찾겠네.
사실 네가 이해하지 못하겠다는 그들은
본투비 열정인일 수도 있는 건데 말이지.

아니면

그들처럼 하지 못하는

너를 외면하려다 보니

그들에게 자격지심을 느끼는 건 아니고?

귀족에서 노비로 신분 하락한 느낌이었어.

더 이상 일하고 싶지 않아졌어.
더 이상 관리자들 비위 못 맞추겠다는 생각이 들었어.
회사 같은 것에 내 인생을 걸 수 없다고 생각했어.
나를 갈아 넣을 이유가 없다고 생각했어.

이제는 다른 부캐를 찾아서
회사 따위에 휘둘리지 않고
나 홀로 당당해져야겠다는 생각을 했어.

저 포도는 분명히 실 거야
(feat. 승진시험을 포기하며)

지금까지 했던 것들이 아깝지 않아?

지금까지 했던 것들이 아깝지 않다고 하면
그건
거짓말이겠지.

하지만
그대로 밀고 나가기엔 부족하다.
인격도.
인내심도.

지금껏 누려왔던 안락함을 포기하는 것도
아쉽다.

닥치면 어떻게든 헤쳐 나가겠지만
그만한 자리를 책임지는 것도
버겁다.

무엇보다도
앞으로 쏟아 부어야 할 10년이란 시간도
아깝다.

그들과 원만한 인간관계였다고
착각할 수 있었던 것은
그들이 나보다 못 하다고 여겼기 때문에
가능한
얄팍한 것이었다.

그러다 그들이
나보다 한 발짝이라도 앞서 나갈라치면
마음 한구석에선
그동안 나 자신은 뭘 했냐며
몰아세우기 시작했다.
알량한 자존심을 내세우며

'네가 삐끗해야 내가 사는데.'라고
빌어본 적은 없지만
네가 나보다 잘 나가길 바란 적도 없으니.

하지만 알고 있었다.
겸손의 탈을 뒤집어 쓴
우월감이라는 걸
대범함을 연기한
초조함이라는 걸

다만, 그걸 덮어둔 채로
애써 좋은 사람인 척
너그러운 척 했을 뿐이었다.
그 문을 열었을 때
썩어 곪아 문드러진 나를 대면할 자신이 없어서
외면하고 있었을 뿐이었다.
문 틈새로 새어 나오는 악취 때문에
어쩔 수 없이 열어 제친 것 뿐이었다.

라인: 문 과장님은 왜 부자가 되고 싶으세요?

문과장: 전 불편한 게 싫습니다. 주차비 걱정하지 않는 부자가 되고 싶어요. 와이파이 찾아다니지 않고 데이터 껐다 켰다 하지 않고 무제한 데이터 요금 써도 통신비 걱정 하지 않는 부자가 되고 싶어요.

라인: 부자 아니면 불편한 게 많을까요? 예를 들면? 조 팀장님?

조팀장: 첫째가 둘째랑 같은 방 쓰는 걸 싫어라 하지. 누나가 공부할 때 동생이 옆에서 뽀시락거리면서 시끄럽게 하는 것도 싫고, 첫째가 초등학교 4학년이면 사춘기도 금방 올 텐데 옷 갈아 입을 때도 불편할 테고. 내가 거실에서 재택 근무할 때면 애들이 거실 밖으로 왔다 갔다하는 것도 신경쓰이고. 같은 방에서 비대면 수업 들어야 하면 소리가 메아리 치는데 공부하는 데도 불편하겠지. 이럴 때 내가 부자라서 애들이 각자 방에서 수업도 듣고, 나도 마음 편히 재택 근무 하고 미안하지도 않고 불편하지 않을 텐데. 꼭 그런 게 아니더라도 다들 혼자 있고 싶을 때 있잖아? 남자한테 결혼이 뭐냐고 물어보면 "여자 친구가 정말 좋은데 집에 안가."

라는 우스갯소리가 있을 만큼 혼자 있을 수 있는 공간, 혼자 있을 수 있는 시간은 중요한 포인트인 거지.

라인: 또 서 차장님은 뭐가 불편하신가요?

서차장: 2년에 한 번씩 이사 다니는 것도 귀찮아. 우리 집이 아니니까 당연히 못 박으면 안 되고 애들한테도 여기저기 고장 내면 안 된다고 잔소리하니까 애들도 자꾸 움츠러드는 것 같고. 내가 부자라면 내 집이니까 못도 박고 아무 데나 고장 내도 마음 편할 텐데. 물론 꼭 못 안 박아도 액자 걸 수 있는 거 알지. 아는데. 그냥 상징적인 거야. 내 집이니까 못도 마음대로 박을 수 있다는 그런 편안한 마음가짐 같은 것. 그런 게 부러운 거지.

라인: 그리고 또 있을까요? 주 차장님?

주차장: 자꾸 애들이 시끄럽게 뛴다고 인터폰 오는 것도 싫고 다른 사람들이 시끄럽게 뛰는 것도 싫어. 발뒤꿈치를 들고 다니는데도 시끄럽다고 할 때마다 가슴이 죄어오는 것 같아. 애들만이 아니라 나도 음악이나 TV 가끔은 크게 듣고 싶을 때가 있단 말이야.

다른 사람이 쿵쾅쿵쾅 뛰는 것도 싫어. 밤늦게 청소기, 세탁기 소리 나는 것까지는 참을 수 있어. 하지만 싸우는 소리나 우당탕탕거리는 소리는 참기 힘들어. 나도 조용히 있고 싶을 때가 있는데 말이지. 층간소음 문제로 이웃들이랑 얼굴 붉히는 것도 거북스럽고 불쾌하지.

내가 부자라면 옆집 소리가 들리지 않을 만큼 넓은 땅에 밤늦게 뛰어도 누가 뭐라 하지 않는 그런 집을 지을 텐데. 위층, 아래층 사는 사람 없이 내 집만 지어서 층간 소음에 시달리지 않을 그런 집을 지을 텐데.

라인: 흠? 그리고 또? 윤 부장님은요?

윤부장: 시간이 없는 게 불편해요. 돈을 벌려고 회사에 다니고, 내 시간과 돈을 맞바꾸다 보니 정작 내가 하고 싶은 것들을 하지 못하고 있죠. 하다못해 애들 문제로 조퇴나 반차 쓰는 것도 너무 눈치 보이구요. 그래서 답답합니다. 돈 벌려다가 나를 갈아넣어야 하니 영혼도 털리고 몸도 상해, 벌어 놓은 돈 다시 병원에 헌납해. 이 회사에서 짤리면 당장에 생계 위협을 받으니 어떻게든 이 회사에서 버텨야 된다는 절박함 때문에 늘 예민해. 좋으나 싫으나 회사 사람들과 관계를 유지하려고 노력하는 게 불편해. 그러다 보니 여유가 없어 팍팍해. 내가 마치 착즙기 안에서 마지막 한 방울까지 짜내지는 과일 같네요.

결재	담당자	부서장	본부장	사장
	라ㄴ			

part 3.

휴식과 오후업무 사이

다음과 같이 기안을 올리니 승인하여 주시기 바랍니다.

붙임 커피타임 _163/ 옥상 담배 _164/ 사회생활의 후유증 _167/ 충고 (feat. 사내연애를 포함한 모든 종류의 뒷담화) _169/ 당연한 수순 (feat 2팀 김 대리 그 친구 어때?) _170/ 직장에서의 친목도모는 어디까지? _171/ 평행선 _172/ 자울 자울 _174/ 그런 오후 _176/ 불안 _178/ 데드라인 _179/ 오후 세 시의 빼근함 _180/ 한판승 _182/ 복사기 옆자리 직원의 비애 _184/ 출입문 앞자리 직원의 비애 _187/ 컴퓨터의 노예 _189/ 컴퓨터 화면의 커서 _191/ 민폐 (feat. 서로 똥 싸지 말아요) _194/ 네가 씬 똥 내가 치우라고 했지 _195/ 쓸데있는 배려의 끝 _196/ 선선한 가을 낯씨처럼 _198/ 상사 발령주의보 _200/ 상사가 들으면 기함일. 회사를 대하는 요즘 세대의 태도 _202/ 직장생활 하면 큰일 날 사람 _203/ 의심 _204/ 그 쪽 그런 사람 맞거든요 _205/ 이런 4가지 하고는 _206/ 너는 나에게 쓰레기를 주었지만 나는 쓰레기를 쥐고 있지 않겠어 _208/ 어디 한번 끝까지 가볼까? _210/ 그러려니 _211/ 감정의 효율 _212/ 기계의 유토피아 _213/ 이직 _214/ 이직할 때마다 환경정리에 시간 쓰는 이유 _215/ Dear. 상사 XX, 고객XX. 아무튼 회사와 관련된 나에게 상처를 준 XX들에게 _216/ 그냥 싫음 _217/ 꼭 불행해야 해 _218/ 버럭증후군 _219/ Break time _221

커피타임

아침에 출근하자마자 한잔은 카페인 긴급 수혈
점심 식사 후에 한잔은 습관
오후 3~4시 경 또 한잔은 친목도모와 정보망 가동
야근을 앞두고 비장하게 또 한잔

여유를 만끽하며
내가 마시고 싶어서 마시는 커피였으면 좋겠다.

마지못해, 어쩔 수 없이
일하는 도중에 마시는
미적지근한 커피, 식어 빠진 커피가 아니라

그래도 하루라도 빠지면
어쩐지 서운해지는 커피타임

옥상 담배

김 대리는 주식으로 재미 좀 봤다더라.
박 과장은 영끌해 집을 샀다더라.
이 부장은 공 치러 필드 나갔다더라.

거래처 피드백이 늦어 답답하다더라.
오늘 정 차장은 왜 저기압이냐.

신입은
이런 쓰잘데기 없는 얘기 할 시간에
일이나 빨리 끝내고 칼퇴하고 싶다.

대리는
어차피 야근 각인데
적당히 노가리나 때리자 싶다.

과장은
아래에서 치고, 위에서 누르고

사회 생활 힘들다 싶다.

담배 연기 속
각자의 한숨을 흘려 보낸다.

사회생활의 후유증

1. 분노중독
뇌가 분노에 중독된 것 같아요.
습관적으로 화를 내고
짜증에 잠식되고
한숨부터 새어 나오고
가시 돋친 말이 기본 사양으로 장착된 것 같아요.

2. 커피중독
커피로 시작해서 커피로 끝나는 일상인걸요.
제 피는 커피색이구요.
체성분의 50%는 카페인일 겁니다.

3. 탄수화물 중독
과자, 빵, 면, 떡, 과일주스, 비타민 음료 흔적들이
책상 위에 한가득해요.
체성분의 나머지 50%가 탄수화물일 겁니다.

과장님, 제가 중독에서 벗어날 방법은 없나요?

있지. 왜 없겠어?
박 대리, 회사를 그만 둬.
대신에 빚에 중독되겠지?

충고
(feat. 사내연애를 포함한 모든 종류의 뒷담화)

나의 비밀은,
주변 사람들이 다 알고 있다는 걸
나만 모르는
공공연한 비밀이 되곤 하지.

당연한 수순 (feat. 2팀 김 대리 그 친구 어때?)

욕심에 비해
재능이 비천하니
성격도 지랄 같을 수밖에.

직장에서의 친목도모는 어디까지?

직장에서의 친목도모는 어디까지가 정답일까요?
친목도모를 하자니
저의 루틴이 깨지기 시작했어요.
식단도, 시간활용도.

친목도모라는 명분으로
모두까기를 시전합니다.
이 무리에서 빠져나가기라도 한다면
내가 모두까기 당하겠지요.

이런 위태로운 관계
독약 같은 관계
파국이 예상되는 관계

적절한 친목도모는
어디까지가 정답일까요?

평행선

나 이제부터 월급 받은 만큼만 일할 거야.

.
.
.
.
.
.
.
.
.
.
.
.

.

.

.

.

.

.

.

.

.

.

.

민 대리야, 사장님은 네가 월급 받은 만큼 일한다고 생각할까?

자울 자울

점심 식사 후 2~3시경
식곤증이 몰려올 시간이다.

팀장님의 눈을 피해
자울 자울 졸아볼 만한 곳이
딱히 없다.

화장실?
이렇게까지 졸아야 하나 싶은 자괴감이...

회의실?
위험하다.

회사 앞 카페?
한 푼이 아쉽다.

주차장 내 차만한 곳이 없다.

174

그런 오후

어제까지 정신없이 하루를 보냈는데
오늘 오후 일거리가 없다.

책상 청소라든지
책을 읽는다든지
연수를 듣는다든지
찾으면야 있겠지만

지금 당장
해야만 하는 일이
없다.
보고할 것도 없고.

이 얼마나 바라던
꿈 같은 시간인데

막상 무엇을 해야 할지

모르겠다.

낯설고 드물지만
일 년에 몇 없을
그런 오후를.

불안

이렇게 한가할 리가 없는데
왜 아무 일도 없는 거지?
공부라도 해야 하나?

작년 이맘때 이 즈음엔 어땠나?
원래 이랬나?

내가 놓치는 일이 있는 게 아닐까?
일이 또 한 번에 몰아닥치면 어쩌나?

폭풍 전야의 고요함은 아닌지
못 견디겠어.

일의 구렁텅이 속에 빠진
흔한 직장인의
세뇌된 불안감.

데드라인

제안서가 써지지 않는 것은
아이디어가 없어서가 아니라
마감시간에 임박하지 않아서지 않을까?

오후 세 시의 뻐근함

어깨, 등, 뻐근하지 않은 곳이 없다.
일도 너무 하기 싫다.

기지개 펴는 척 하면서
천장무늬 지렁이만 세고 있다.

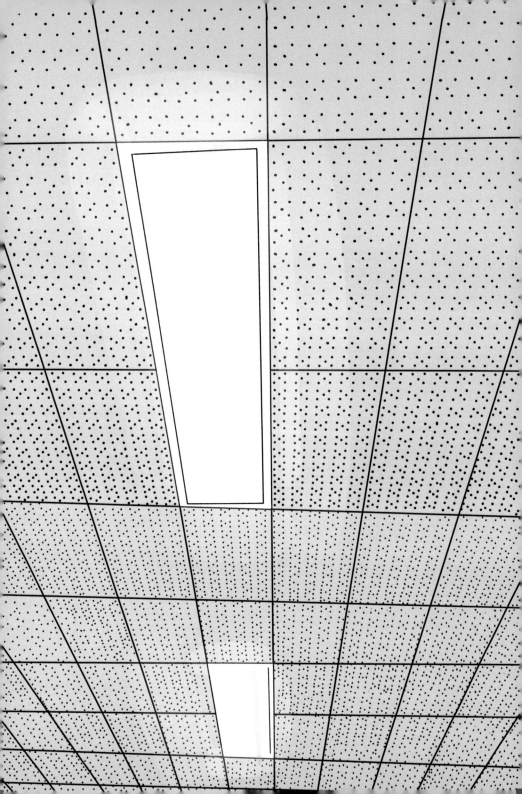

무슨 대단한 환경운동가 납시셨다고
이면지를 쓰다가
복사기와 이십분 째 겨루기 중

심호흡하고
할 수 있다. 할 수 있다.

복사기에서 시키는 대로
해당 부분을 열고
종이를 제거하면 된다.

그대로 하는데
왜 안 되는 걸까?

종이가 잘게 찢겨서 걸렸나?
아니야
그런 슬픈 말은 하지 말아줘.

어쨌거나 이거 꼭 고쳐야만 해.
왜냐하면 나는 직장인이니까.

복사기 옆자리 직원의 비애

복사기에 말 걸지 마세요.
그거 저 들으라고 하는 말인 거 다 알아요.
종이가 없네? 그 옆에 A4박스 있잖아요?
종이가 걸렸네? 빼시면 되잖아요?
토너가 없네? 그 옆 옆에 토너박스 있잖아요?
이거 왜 안 되지? 옆에 설명서 있잖아요?

이면지는 옆에 두지 마세요.
이면지는 잘 걸려요.
그냥 출력의 성공률을 높이는 게
빠르고 환경도 보호한답니다.

문구류 사용은 셀프잖아요.
복사 후 필요한 물품은 알아서 준비해 오는 센스!
제 책상의
스테플러, 가위, 결재판, 클립은
공용물품이 아니랍니다.

제 모니터는 못 본 척 해주세요.

복사하다 보면

제 모니터가 보일 수 있다는 거 알아요.

어쨌든 저쨌든

제 모니터 뚫어져라 쳐다보시면

관음증 환자로 멋대로 오해해 버릴 겁니다.

출입문 앞자리 직원의 비애

저는 그 분이 누군지도 잘 몰라요.
하물며 그 분 자리가 어딘지 어떻게 알겠어요?

택배 대리 수령 덕에
알고 싶지도 않은 직원들의 쇼핑 취향만 알게 되네요.

한 두 번은 그럴 수 있다고 쳐요.
하지만 출입카드 없다고 문 열어 달라고 하는 박 대리님
박 대리님은 상습범이잖아요!

무거운 짐은 카트를 이용해 주세요.
괜히 양 손에 짐 들고 가시면
왠지 문이라도 열어야 될 것 같은
저의 선량한 마음을
악이용 하시는 분들이 계시네요.

문은 딱딱 닫고 다녀주세요.

여름엔 더운 바람

겨울엔 추운 바람

이 사무실에서

저만

더울 때 더운 데서 일하고

추울 때 추운 데서 일하는 것 같은 건

제 기분 탓일까요?

컴퓨터의 노예

컴퓨터가 다운됐다.
그동안 너무 달렸으니
이건 필시
일하지 말라는 신의 계시

하루의 기다림에
기술팀이 컴퓨터 본체를
뜯어갔다.

하루 정도 쉬어서는 부족하다는
신의 두 번째 계시

일은 어떻게 하세요?
옆 팀 박대리의 질문에

"일 안해요."

잠깐 휴게실 컴퓨터 빌려
급한 일만 처리하는데
걸린 시간
고작 15분

나는 15분이면 될 일을
왜 하루 종일 컴퓨터 앞에 앉아
노예로 살았었나.

안 답답하세요?
옆 팀 김대리의 질문에
"뭐 아쉬운 사람이 전화하겠죠."

휴게실 컴퓨터하고라도 바꾸지 그래?
옆 팀 권 부장님 질문에
"며칠 안 걸린답니다." 라고 말하고
'일 좀 그만 시키세요.' 라고 속삭인다.

다운 된 컴퓨터 덕에
세상 쿨 하고
세상으로부터 스스로 단절되어
컴퓨터 노예의 삶으로부터
해방되었다.

컴퓨터 화면의 커서

깜빡깜빡
나타났다 사라지고
사라졌다 나타나고
커서의 존재를 알아차렸다는 것은
그 시간동안
딱 그만큼의
정지, 침묵, 정체

그리고
더 나아가지 못하는 답답함.

머리야 일을 해.
아니 머리가 일을 하지 못한다면
내 손가락아
미친 듯이 자판을 달려줘.
내 손가락에 촉수가 달려서
자판을 만나는 순간

자율신경계가 반응을 해

저절로 움직인다면 바랄 게 없겠는데.

민폐 (feat.서로 똥 싸지 말아요)

애초에
미안할 짓을 하지 말아야지.
오해의 소지조차 없어야지.

나도 상대방에게
상대방도 나에게
그랬으면 좋겠다.

네가 싼 똥 네가 치우라고 했지

만날 때마다
숨겨왔던 말이 하나씩 튀어나오고
내가 몰랐던 상황이 벌어져있고

자꾸
중간에 끼여서
똑같은 일 두 번, 세 번하게 만들래?

그걸 수습하기 위해
도처에 협조와 부탁을 빙자한 아쉬운 소리와
진행상황보고의 탈을 쓴 부장님의 욕받이 같이
번거로운 것들은
왜 다 내 몫인 거냐?

쓸데없는 배려의 끝

누가 시키지도 않은 걸
네가 무리해서 배려해 놓고
이제 와서
서운하다고 말하면

듣는 사람은 그야말로
당한 느낌.

네가 무리해서 배려한 데는
그만큼 나한테 원하는 게 있어서 그랬던 거잖아.
그게 돈이든, 명예든, 사랑이든. 너 자신에 대한 우쭐함이든.

그래서
"내가 그렇게 해달라고 했어?"
라고 재공격 할 수밖에 없다.

그러면 너는

196

"어떻게 그렇게 말할 수 있어?"라며
다시 피해자로,
가련한 주인공 역할을 맡아버리는 거지.

세상에 아무것도 바라지 않고
쏟아낼 수 있는 헌신은 없다.

너의 쓸데없는 배려의 끝에
나에 대한
섭섭함, 야속함이 남았겠지만

너에 대한 당혹감이 남았지 나에겐.

서로에게 뒷맛이 씁쓸한 것들 밖에
남질 않는다. 네 가치없는 배려의 끝엔.

선선한 가을 날씨처럼

사람사이 관계가
선선한 가을 날씨 같으면 좋겠다.

그런데 생각해 보니
일 년 중 가을이 며칠 안 된다.

그렇구나.
사람 사이 선선하기 어려운 거구나.
점점 줄어드는 가을처럼.

상사 발령주의보

상사 발령주의보에 대처하는 우리들의 자세
나뭇잎 캐노피로 진지구축
화면 차단필름
상사 쪽을 향한 거울
그리고
화면전환 알트탭

상사가 들으면 기함할,
회사를 대하는 요즘 세대의 태도

마음처럼 되지 않는 일에
너무 애쓰지 말자.
당연한 말이겠지만.

마음처럼 되는 일에도
필요 이상의 애는 쓰지 말자.
당연하지 않게 느껴질 수도 있겠지만.

성과든
인간관계든
뭐가 됐든.
영혼까지 끌어모으지 말고
딱 필요한 만큼만 하자.

직장생활 하면 큰일 날 사람

상사에 대한 적개심과 분노를
이렇게나 드러낸다고?
혹시 재벌 3세 같은 거세요?

정말로 재벌 3세라면
저랑 친하게 지내요.

의심

'아니 이 사람은 이걸 해낼 능력이 안 될 건데 어떻게 해냈지?'
'의외네?'
'꽤 괜찮네?'라는 잠깐의 기대

'정말 이 사람이 한 거 맞아?'라는
타인에 대한 의심
'내가 그동안 잘못 봐왔나?'라는
나의 안목에 대한 의심

며칠 뒤
'아, 역시 그러면 그렇지.'
'네 실력은 거품이었어.'라는 실망보다
더 큰

내 안목이 틀리지 않았다는 안도감.

그 쪽 그런 사람 맞거든요

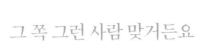

"사람들이 왜 절 어려워하는지 모르겠어요."라고 하길래
"아~ 예."
빨리 끊고 나와 버렸어.

그걸 왜 모르니?
그러니까 사람들이 그 쪽 어려워하지요.
그 쪽은 아니라고 하고 싶겠지만
그 쪽 그런 사람 맞거든요.

넌 이미 자세부터 글러 먹었어.
업무 차 사람이 방문하면 의자에서 일어나는 게 예의지.
협조 요청하러 온 사람 앞에 두고
늘어져 앉아 핸드폰이나 하고.
헐 나는 네가 허리가 부러진 줄.
혹은 네가 사장님인 줄.

처음엔 생각했지
내가 예민할 수 있다.

두 번째에 생각했지
내가 저 사람한테 열등감을 느끼나?

세 번째 생각했지
내가 피해의식을 느끼는 건가?

네 번째 생각했지
좀 아닌 것 같은데?

다섯 번째 돼서 다른 사람에게 물어봤지.
저 사람이 나를 씹는 것 같다.

그러자 그 사람이 말했지.
맞다고.

너만의 생각이 아니라
또 다른 사람들도 그렇게 당했다고.
사람에 레벨을 붙여 취급한다고.

그리고 안도했지.
'나의 사람 보는 안목이 틀리지 않았어.'
'쓰레기 같은 사람일지라도 몇 번이나 기회를 줬어.'라고.

한편으로 이를 갈았지.
'네까짓 인성으로 감히 나를 판단해.'
'내가 너보다 더 잘나가서 처절하게 밟아주겠어.'

마지막에는 깨달았지.
너는 나에게 쓰레기를 주었지만
나는 계속해서 그 쓰레기를 들고 있지 않겠다고.
너를 의식하지 않고
하던 대로 나의 길을 가겠다고.

어디 한번 끝까지 가볼까?

아~ 눈앞에 뻔히 보고도
인사도 안 하고 지나치네.

네가 생각하기에
나의 레벨이 '폐'급 인가 보네?

그런 네 속내가 너무 훤히 보여서
웃음이 나.

그럴수록 나는 더 얼굴 들이밀며
같이 쌩까고 지나가.

'어디 한번 끝까지 가볼까?'
하는 마음으로.

그러려니

이 사람 나랑 안 맞아. 하나부터 열까지 다.
그러려니 해.
어쩌겠어. 그 사람을 바꿀 수 없고 나도 바뀔 생각이 없는데
그냥 그러려니 해야지.

아, 그리고 되도록 마주치지 말자.
맞출 수 없다면 피해야지.

감정의 효율

이미 일은 벌어졌고
내가 할 수 있는 모든 일은 다 했고
더 이상 내가 뭘 어떻게 할 수 없고
그러니 더 이상 되뇌이지 말자.
나의 힘듦과 분노와 짜증이 증폭될 뿐이다.

기계의 유토피아

인간의 뜨거운 감정에
홧홧하게 데어버려
3도 화상에 이른 날

살이 녹아 짓물러 터져 버리고
시간이 타 재로 날아가 버리고
노력 따위 공중분해 되어버리자
기계의 차가운 감촉이 그리웠다.

기계의 이성
기계의 논리가
미치도록 그리운 날이었다.

앞으로도 종종 그리울 것 같다.
어쩌면 꽤 자주.

이직

기대를 품었다
실망하고 마는 것.

이 직장이나 저 직장이나 할 것 없이
직장만 오면 등이 굽는다.
정말 징글징글하다.
지긋지긋하다.

이직할 때마다 환경정리에 시간 쓰는 이유

아직 여기가 낯설어서 그래요.
환경이라도 그전이랑 비슷해야
그나마 마음이 놓여서 그래요.

환경정리 한다고 눈치 주지 마시고
새 사무실에 빨리 적응하려고 노력한다고
어여삐 봐주세요.

Dear. 상사XX, 고객XX, 아무튼 회사와 관련된,
나에게 상처를 준 XX들에게

나는 그래도 되는 사람입니까?
나한테 너무 한다는 생각 같은 거 해본 적 있습니까?
다들 나한테 너무 했습니다.
나한테 그러면 안 됐습니다.

그때도
지금도
앞으로도.

그냥 싫음.

이러고 있을 때는
이 꼴이 보기 싫고
저러고 있을 때는
저 꼴이 보기 싫고

그 정도면
그냥 만사가 다
꼴 뵈기 싫은 거다.

그 정도면
산업재해 수준인 거다.

꼭 불행해야 해.

지금의 네가 더 불행하기를

그래야 네가
"그동안 배부른 소리했구나."

당연한 줄 알았던 나의 배려가
"당연한 게 아니었구나."
뒤늦게라도 느꼈으면 해서

과연 느낄 수 있을 진 모르겠지만.

버럭증후군

상사가 보고서 재작성 지시를 내릴 때도 버럭
사람들이 다른 의견을 낼 때도 버럭
부하직원에 이것도 못하냐며 버럭
커피 마시다가도 버럭
회식할 때도 버럭

그렇게 모든 걸 분노로 표현하는 당신
아픈 사람이군요.

뭐 그리 억울한 일 많았나요?
당신도 처음부터 그렇게
버럭하는 사람은 아니었을 텐데.

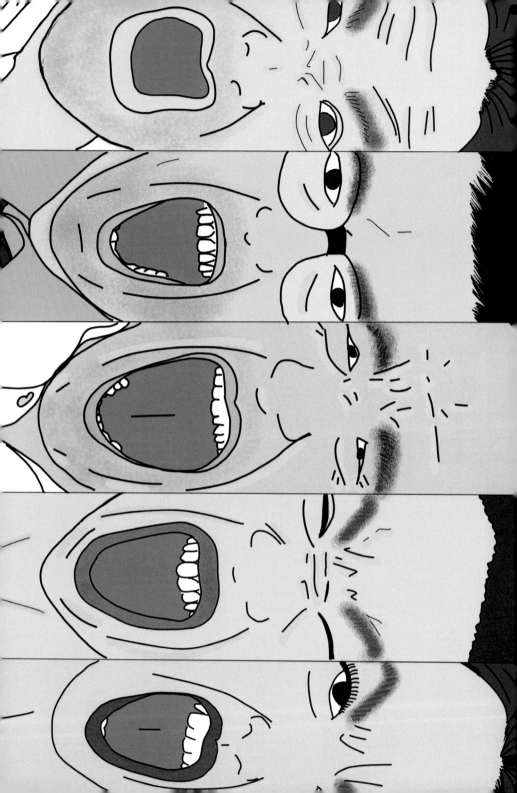

부자가 꿈인 직장인들의 인터뷰 part 3.
(feat. 갈대처럼 흔들리는 마음)

라인: 부자가 아니라서 뭐가 불편해요? 백대리?

백대리: 부자가 아니라 자꾸 나를 할퀴게 되는 것 같아요.

그냥 저는 부자가 되고 싶어요.
그림 같은 집을 짓고 여유롭게 살고 싶어요.

'뭐 승진을 해야겠다, 어떤 집단의 우두머리가 되어야겠다.'
그런 생각은 없었는데
자꾸 외부에서 말도 안 되는 걸로 갈군다고 생각하니까
아, 갈군다기보다는
본질에 집중하지 않는다는 생각이 드니까
'이건 아니다.' 라는 생각이 들어서
울컥, 확, 마 이러는 거죠.

또 나보다 더 못하다고 생각했던 사람이
나보다 더 나은 대우를 받는 걸

못 보는 거죠.

한마디로 질투죠.

사실 그 사람이 나보다 나은 점들도

훨씬 많이 있는데

내가 인정하기 싫어서

나보다 못하는데 위로 올라갔다고

생각했던 적도 있을 거예요.

그리고 아니라고 생각했는데

나는 확고하다고 생각했는데

남들의 한 두 마디에 이렇게까지 흔들리는 나를 보니

나를 속이고 살았나?

나 되게 목표지향적인 인물인가? 싶은 거예요.

사실 목표지향적이라기 보다는

음...밑바닥까지 솔직해지자면

권력지향적?

뭔가를 하지 않으면

도태되는 느낌에 불안해진달까?

남보다 나은 내가 되어야 할 것 같은

오래된 습관처럼 굳어진 열등감..이 맞겠네요.

더 이상 책임지고 싶지도 않고
꼭 뭐가 되고 싶은 생각은 없는데...

그런데 부자가 되면
이런저런 주변 상황에 흔들리지 않을 것 같아서
내가 나를 할퀴지 않을 것 같아서
그래서 부자가 되고 싶어요.

part 4.

퇴근과 야근 사이

다음과 같이 기안을 올리니 승인하여 주시기 바랍니다.

붙임

상사님

일을 안 하실 거면 제 때에 토스라도 해 주던가

계속 꿍치고 있다가 보고 2시간 남기고 이걸 해달라고 하는
당신은

개차반이다.

시간 내에 못 맞추면 네 잘못이지 내 잘못이냐?

누가 뭐래도 나는 정시에 퇴근할 거다.

본인이 급하니 아주 똥마려운 강아지처럼

계속 언제 다 되는지 왔다갔다

꼴 좋구나.

상사면 상사답게 행동을 해야 상사지

직급에 비해 언변만 좋으면 다냐?

직급에 비해 당신의 업무 실력이 너무 하찮다.

직급에 비해 당신의 팀 운영 능력이 너무 비루하다.

직급에 비해 당신의 인성이 글러 먹었다.

함께해서 더러웠고
다시는 만나지 말아요.

아는 척도 말고,
전화도 하지 말고,
카톡도 차단합니다.

칼퇴라는 말은
뭔가 죄책감이 들게 만드네요.

우리부터라도
칼퇴라는 말 대신
그냥 "정시 퇴근"을 쓰도록 해요.

알트탭처럼
내 기분도
순식간에 전환되었다.
퇴근과 함께

진짜?

아니... 그랬으면 좋겠다고.
그러려고 노력 중입니다.

내일 뵙겠습니다.

인사를 마치고
바삐 버스 정류장으로 걸어가는 길
횡단보도 건너편으로
내가 타야 할 버스가 쌩~ 하고 지나쳐간다.

아...
놓쳤구나.

어제 눈앞에서 놓쳤던 버스
오늘은 놓치지 말아야지.

그게 다짐한다고 될 일이냐?

그래도 신호에 걸려서 버스가 서 있다면
힐을 신었지만
전력질주로 저 버스를 잡고야 만다. 꼭!

하루를 치열하게 살아내고
하루 동안 열정을 쏟아내고
모두들 지친 퇴근 버스

앉아서 갈 수 있을까?
내 앞에 노약자 안 왔으면 좋겠다.
모른 척 하고 싶다.
계속 그냥 눈 감고 있고 싶다.

길은 안 막힐까?
얼른 가서 씻고 자고 싶은데.

어제 버스 탔던 학생
또 탔네.
쟤네들도 고생한다.

무거운 가방

무거운 다리
무거운 어깨

발 디딜 틈 없이 꽉 들어찬 퇴근길 버스에는
순도 100%의 피곤이 찐득하게
묻어 있다.

옷은 욕실 앞에 가만히 잘 허물 벗어 놓고
욕실의 냉기에 소름 돋아
"아, 추워. 아, 추워." 연신 투덜거리며
뜨뜻한 물에 샤워 먼저

땡땡 언 손 발에 뜨거운 물줄기를 갖다 대니
찌릿찌릿
째릿째릿
이제야 손 발에 피가 좀 통하네.

온 욕실에 하얀 김이 차도록
온수를 틀어놔도
어깻죽지가 시려.

노골노골 해질 때까지
뜨거운 물이나 쬐는 게
겨울 퇴근 후의 유일한 낙.

238

덧붙여
붕어빵까지 있다면
금상첨화.

야: 야! 위에서 시키는 대로 해 그냥.
근: 근근이라도 입에 풀칠은 하고 살아야지.

오늘 야근은 왜 하는 거래?

야근에 무슨 이유가 있냐?
그냥 하는 거지.

이럴 때 미리 미리 일 하면 얼마나 좋아.
꼭 자기 혼자 몰래 일 꼬불치고 있다가
금요일 오후 5시에 갑자기 폭탄처럼 쏟아 놓겠지.

자기가 처리할 일이 뭐가 있는지도 모를 거야, 저 인간.

내 말이
오늘은 그냥 인터넷쇼핑이나 하면서
영화나 한 편 때릴라고.

나도 그래야겠다.

여행 가자고 조르지 마.
나 돈 없어.
이 핑계 저 핑계
이제 댈 핑계도 없어.

삼겹살 먹고 밥 볶을 때
한 공기 더 추가하자고 하지 마.
다 먹지도 못하잖아.
그리고 결정적으로
간 안 맞아.

이 사람이랑 가는 여행은
참 계획적이고 알아서 다 하는데
배울 것도 많은데
그냥 힘들어.

저 사람이랑 가는 여행은
무계획적인데
그냥 마음이 편해.

왜 상사님들은 집에 안 들어가는지 모르겠어요.

신입아, 신입아, 이래서 네가 신입인 거야.
집에 들어가기 싫으니까 회사에서 뭉개고 있는 거잖아.
생각을 해봐.
퇴근하고 집에 갔는데 다시 육아출근이야.
그러니 차라리 회사에 있는 게 편한 거라고.

차장, 부장 쯤 더 나이 먹어봐.
애 새끼들은 커서 다들 자기 방에서 나오지도 않지.
집에 내가 있으면 가족들이 어색해 해.
집에 가고 싶어도 못 들어가는 거야.

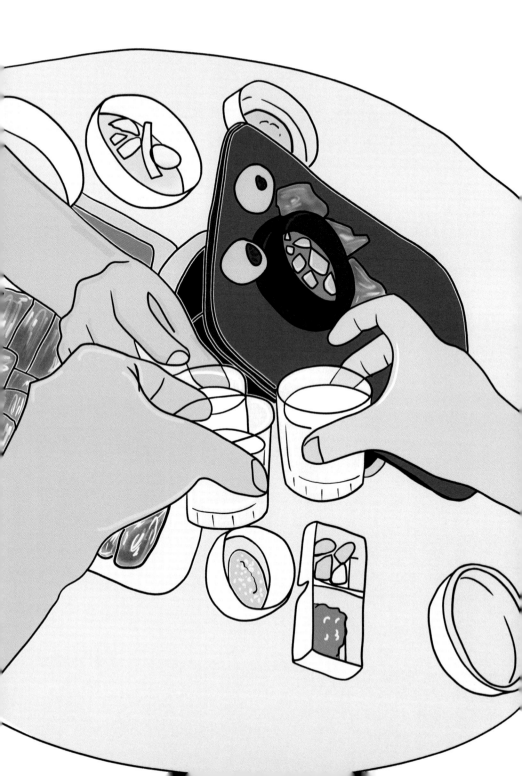

23시까지 야근했는데
야근하고 뒤풀이를 새벽 1시까지 했는데
회의내용과 무관하게
결국 그분 입맛에 맞게
재세팅되어 있었다.
이럴 거면 뭐 하러 생고생해가며 야근했는지

보람도 없고
의미도 없고
건강도 잃고
시간도 잃고

우리 야근 시키지 말고
본인 하고 싶은 대로 결정해서
그냥 통보만 하세요. 사장님.
시키는 대로 하겠습니다.

눈은 안구건조가 왔는지 뻑뻑하고
어깨는 윤활유 안 친 차 뒷문처럼 끼기긱 거리고
다리는 묵직하다 못해 부어 걸음도 잘 안 걸어지고

그 와중에 바라본 밤하늘에 뜬
저 별을 잡고 싶었어.

아아아아아아~

회식의 적당한 횟수
회식의 적당한 장소
회식의 정당한 목적
그런 것 따위 없어.

아아아아아아~ 안 들려, 아니! 듣고 싶지 않아!!!

제가 정말 고생했다고 생각하신다면
회식 같은 거 말고
그냥 보내주세요.

제 고생에 대한 댓가를 지불하고 싶으시다면
보너스로 그 진심을 보여주세요.
정 회식을 하셔야겠거든
스테이크에 와인 한잔 할 수 있는
레스토랑에서 해요.

당신네들은 양반다리로
앉을 수나 있지.

치마 입은 저는
무릎 꿇고
오른쪽, 왼쪽 계속 다리 바꿔가며
다리에 쥐나는 데도
고기 구워야 하고
옷에 냄새 다 베고
힘들어 죽겠어요.

251

박대리 이리 와 앉아.
'너 같으면 거기 앉고 싶겠냐?'
아,,예.
쭈뼛쭈뼛
위치선정 실패다.

어차피 n분의 1인데
내 돈 내고 먹는 삼겹살인데

제발 밥이라도 편하게 먹고 싶습니다.
이러다 체하겠습니다.

"우리 부서 분위기 참 좋은 것 같아.
그치 이 대리?"

'그건 네 생각이고'
라고 생각하지만
만면에 밝은 미소를 장착하고
최대한 활기찬 목소리로
"아~ 넵."

인공눈물은 약국에서 파는데
인공웃음은 어디서 팔지?

인공눈물만큼이나
인공웃음도 직장인의 필수템인데?

손발이 뜨거운데 추워요.
입안이 홧홧한데 으슬으슬 추워요.
더부룩한데 배고파요.
토할 것 같은데 허기져요.

치킨, 피자, 족발, 떡볶이
야근 간식 단골 메뉴로 좋죠.
하지만
야식 말고
그냥 퇴근이 더 좋아요.

돈을 물 쓰듯이 쓰고 싶지만
돈이 없네요.

대신에 시간이라도 물 쓰듯이
허투루 써볼 작정입니다.

"왜 아직도 결혼 안 했어?"
"아, 오늘 명절 아닌데?"라고
애써 웃으며
세련되게 넘어가려고 했더니만.

눈치 없이 계속
그런 걸 물어본다면
저도 그대로 돌려드릴 수밖에요.

"부장님, 월급 얼마 받으세요?"
"부장님, 머리 안 심으세요?"
"부장님, 몇 킬로그램 나가세요?"
"부장님, 승진은 언제하세요?"

.

.

.

라고 맞받아 치는 상상을 해 보았다.

오늘 하루도

그냥저냥 버티는 거지..
뭘 버텨요?
오늘 하루
지금 이 순간을.

버티고 있으면
지나가더라고.
시간이 흘러가 있더라고.

능력

무언가를 해내는 것은
타고난 능력일 수도 있지만
나의 경우엔 버티기다.

버티고
버티고
버티다 보니

여기까지 와 있다.

애정? 사명감? 열정? 없습니다.
그렇게까지 맹렬하고, 비장하게 임할 생각 없습니다.

그냥 문서 작업하듯
무미건조하게
꾸역꾸역
한 시간을 보낼 뿐입니다.
그 한 시간이 모여
하루를 견디고
그 하루들이 모여
1년이 될 겁니다.
그게 제가 할 수 있는 전부입니다.

그득 그득

지하철 흔들리는 손잡이에 매달려 바라본 풍경은
사람이 그득 그득

무심하게 마른 표정 뒤에
앞 사람은 무슨 생각을 하는 걸까?

냉담하게 굳어버린 얼굴 뒤에
뒷사람은 무슨 생각을 하는 걸까?

그득 그득한 사람 속에
텅 비어버린 머리, 가슴, 배

땡땡이 칠 생각조차 못 할 정도로
폭풍 업무에 시달린 그대

모든 걸 회사에 쏟아내서 뿌듯한가?
아니면 헛헛한가?

쌍끌이 조업 마냥 내가 한 업무 모두 끌어다 붙일 거다.
숟가락 걸칠 수 있는데 다 걸칠 거다.
시간 순으로, 먼지 털듯 내 역할 샅샅이 찾아낼 거다.

기안이란 기안은 다 찾아서 증거자료로 제시할 거다.
딴 소리 못하게
핸드폰 녹음 해 놓은 것만 수 백개란 걸
알고 있을지 모르겠지만.

최선, 차선을 생각하고 협상에 들어가자.
그래야 쫄지 않고 당당하게 말할 수 있을 테니까.
최악, 차악까지 경우의 수는 다 생각해 놓자.
그래야 실망이라도 덜 할 테니까.

회사에 대한 충성심을 운운하는 저들에
본인은 충고랍시고 하는 말들에
상처 받지도 말자.

나는 트집이라고 읽을 테니까.

아직도 조선시대에 살고 있는 저들에게
계약대로 일했다고 말해봤자
요즘 것들은 이기적이라고 할 테니까.

부서를 옮겼다.
이 부서로 출근한지 단 하루 만에
카톡 방만 새로 4개가 만들어졌다.

쉬는 날인데 카톡이 계속 온다.

사안별로 계속 카톡 방을 만든다.

요즘 업무스타일이 이런가?
쉬는 날인데 카톡을 보내는 것이
맞는 건가?

흐름에 쫓아가지 못하는 내가
녹슨 인간인 건가?

연말은 연말인가 보다.

파쇄기가 벌써 꽉 찼어.

에헤이~

지금 그 끔찍한 생각일랑 넣어둬.

너 지금 저 파쇄기에

이과장 갈아버리려고 한 거 다 알아.

ㅋㅋㅋㅋㅋㅋ

넌 나에 대해 너무 많은 걸 알고 있어.

너부터 먼저 갈아주겠어. ㅎㅎㅎㅎㅎ

착한 사람

내 딸이 나중에 발령받아서
이런 거지같은 관사에 산다고 생각하면
정말 소름끼치더라구요.
힘들긴 하지만
이런 관사는
남자가 사는 게 맞는 것 같아요.
라고 말했던 참 착한 사람.

COMPUTER

카톡감옥

시도 때도 없어서
넵~이라는 답문조차
안 남길래.

아침에 잘 일어나는지?

밥은 잘 먹었는지?

잠은 잘 자는지?

회사 생활은 어떤지?

힘들게 하는 동료는 없는지?

퇴근길에 시달리지는 않았는지?

늦게까지 야근했는지?

회식하자는 상사 때문에 스트레스 받았는지?

퇴근하고 집에서 뭐 하고 쉬는지?

밀린 집안일 모른 척 하고 있는지?

TV나 너튜브를 안주삼아 맥주 한 캔 하는지?

아침부터 잠드는 순간까지

안온하길 바라면서

그렇게 나를 걱정했어.

궁금해 했어.

토닥토닥

내 월급의 댓가는
퉁퉁 부은 다리,
그리고
A4 용지 끝에 베인 손가락이라고 말하는 내게

퉁퉁 부은 것이 다리만은 아닌 것 같은데...
베인 것이 손가락만은 아닌 것 같은데...
라고 말하던 당신의 따뜻한 손길

퉁퉁 부은 다리도, 울어서 퉁퉁 부은 얼굴도
베인 손가락도, 베인 마음도
이렇게 당신에게 들켰으니
에라 모르겠다. 책임져라.
그러니
오늘 하루는 당신이 나 좀 토닥토닥해 줘요.

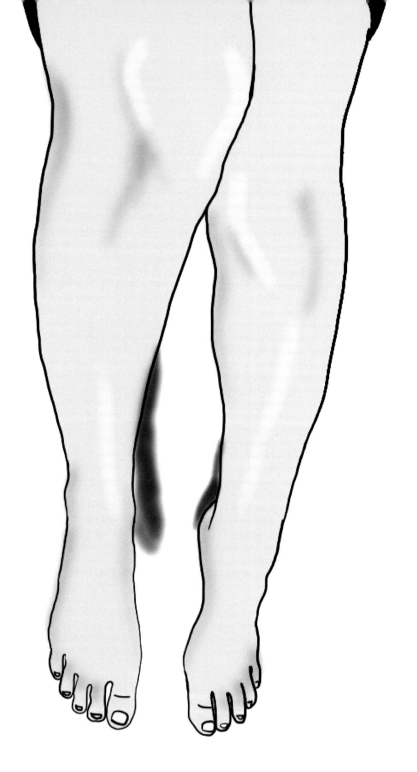

마음의 면역이란 건
어떻게 해야 생기나요?
백신이 있다면
그거라도 맞을까요?

백신이란 건
험한 말, 불편한 상황을
미리 겪는 걸까요?

그런 상황을 겪고 무뎌지면
마음이 덜 아파지나요?
얼마나 오랫동안, 자주 겪어야
무뎌지나요?

그런데 그런 일을 겪어도
왜 이렇게 익숙해지지 않죠?
무뎌지지 않죠?

험한 말, 불편한 상황 같은 건
백신이 되지 못하나 봅니다.

마음의 면역이란 건
이미 적립되어 있던
따뜻한 말 한마디,
웃는 얼굴,
힘내라고 토닥이는 손길 같은 것들이
아닐까요?

힘들 때 하나씩 꺼내보면
아,
그래도 내 옆에 이런 사람들이 있었지
하며 위로가 되는 것 같아요.

흑당펄라떼

타피오카펄은 삶아야 하니
바로 마시면 뜨근해서 별로
나에겐 시원해질 때까지 기다리게 하는 음료라 별로
다 마시고도 얼음 사이를 비집고 타피오카펄을 찾아
인내심 테스트하게 만드는 음료라 별로
별로라면서 근 일 년간 계속 주문하고 있는 음료
지난 일 년
그렇게라도 단맛을 주입해야 했나 보다.
그렇게라도 잘근잘근 씹어야 했나 보다.

다가올 새해에는
주입하지 않아도 달달한 일상이 찾아왔으면

하지만 궁극적인 바람은
에스프레소 같은 쓴 일상 속에서도
단맛을 찾을 수 있는 내공을.

내 삶의 끝이 회사원이라면
너무 서글플 것 같아.

내 삶의 끝은
돈 많은 백수였으면 좋겠다.

.

실내화, 털 실내화, 구두,
온열방석, 발난로, 손선풍기,
후리스, 자켓

사원부터 부장까지
회사에서 혹은 거래처에서 만나는 많은 사람들의 꿈이
나처럼 부자인 걸 알게 되었을 때
그들의 삶을 기록하고 싶어졌습니다.

부자가 되고 싶은 이유가 막연하기도 했지만
꽤나 구체적인 이유와 각자의 다른 이유를 알게 되었을 때
그들의 삶을 더 자세히
그리고 싶었습니다.

회사라는 한 무리 안에 속해 있는
나와 같은 동료, 부하, 상사의 고단함을
너무 잘 알 것 같아서
위로하고 싶었습니다.

회사라는 틀 안에 갇혀 우리라고 한 부류로 취급해버리기엔
나와 같은 듯 다른 각자의 개성과 모습이

참 눈부셨기 때문입니다.

이미 저는 16년이나 회사를 다녀서
어쩌다 부장이 되어버렸지만
사람이 아닌 것만 같았던 인턴 때
참담했던 일개 사원 때
대리 나부랭이 때
그 초심을 잃지 않으려
그 때의 내 모습을 기록하고 돌아보며
16년 전의 나와, 지금의 후배님들을 위로합니다.

오늘도
한량을, 혹은 돈 많은 백수를 꿈꾸며
출근과 동시에 퇴근을 기다리는
대한민국의 수많은 직장인들을
응원합니다.

오늘 아침도 떠지지 않는 눈을 억지로 떠가며
습관처럼 가기 싫은 회사에 출근하는
나와 같은 직장인들을
응원합니다.

날이면 날마다 이직을 해 볼까 눈치보며 이력서 쓰는 이대리도

날이면 날마다 투잡을 해볼까 부동산 공부를 하는 박팀장도
날이면 날마다 주식창을 보는 김 부장님도
날이면 날마다 사표를 품고 퇴사를 꿈꾸는
이 시대의 나와 같은 직장인들의 이야기를 전하고 싶었습니다.

이런 소리까지 들으며 살아야 하나 싶은 날에도
이런 일까지 해야 하나 싶은 날에도
이렇게 사는 게 맞나 싶을 정도로 허탈한 날에도
엉망진창으로 취하지 않고서는 버티기 힘든 날 조차

화장실 갈 시간마저 없어 발을 동동 구르다
오늘 하루가 어떻게 지나갔는지도 모르게 치열하게 살아 낸,
죽도록 일해 봤자 회사 좋은 일만 시킨다는 걸 알면서도
순간 순간 최선을 다하는 직장인들을
응원합니다.

그리고 퇴사하시는 그 날까지
끝내 원하는 바 이루시길.
파이팅!

그리고 굳이 파이팅 안 해도 괜찮아!
그런 의미에서
안 파이팅!!!